150 mots croisés pour experts

Des jeux pour s'évader

Les Éditions Goélette

Couverture:
Marjolaine Pageau
Infographie:
Sophie Binette

© 2013, Les Éditions Goélette inc.
1350, Marie-Victorin
Saint-Bruno-de-Montarville (Québec) CANADA, J3V 6B9
Téléphone : 450 653-1337
Télécopieur : 450 653-9924
www.editionsgoelette.com
www.facebook.com/EditionsGoelette

Dépôts légaux:
Bibliothèque et Archives nationales du Québec
Bibliothèque et Archives Canada
Deuxième trimestre 2013

Les Éditions Goélette bénéficient du soutien financier de la
SODEC pour son programme d'aide à l'édition et à la promotion.

Nous remercions le gouvernement du Québec de l'aide financière accordée
par l'entremise du Programme de crédit d'impôt pour l'édition de livres,
administré par la SODEC.

Membre de l'Association nationale des éditeurs de livres

Imprimé au Canada

ISBN: 978-2-89690-564-5

	1	2	3	4	5	6	7	8	9	10	11	12
1	A	R	N	A	Q	U	E	■				■
2	C	O	I	N	■	R					■	
3	Q	U	M	■	M	I	N	E				
4	U	V	E	E	■	Q	S					
5	É	R	S	E	A	U						
6	T	I	■	S	E	E	C	K	T	■	T	A
7	■	R	E	T	S	■	H					
8	Q	■	M	I	C	H	E	L				
9	C	E	P	■	H	■	N	■	U	■	E	L
10	■	■	O	S	N	■	E	■	S			
11	P	R	I	M	É	R	■		E			
12	C	É	S	■	S							

❑ Horizontalement ❑

1. Carambouille — Vallée des Pyrénées-Atlantiques.
2. Écoinçon — Mère d'Ismaël.
3. Ville de l'Iran — Minéral se présentant sous forme de lamelles — Extrait de suc de fruit.
4. Tunique de l'œil — Parti politique — Ivre.
5. Pour fixer un aviron — Ancienne province de France.
6. Titane — Général allemand né en 1866 — Tantale.
7. Filet pour la pêche — Poisson de la famille des cyprinidés.
8. Prénom de l'auteur de la pièce de théâtre *Les belles-sœurs* — Réseau de transport de la Capitale.
9. Pied de vigne — Ville d'Allemagne — Article espagnol.
10. Pays d'Europe — Unité de mesure de puissance sonore subjective.
11. L'emporter — Ville du Mali.
12. Démonstratif — Ensemble des hommes ou des femmes — Fortification.

❑ Verticalement ❑

1. Acquisition — Symbole du Québec — Ordinateur.
2. Relancer — Fleuve d'Espagne.
3. Ville du Gard, en France — Colle à base d'amidon.
4. Cycle des saisons — L'ancienne Estonie — Samarium.
5. Grandes libellules.
6. Acide — Chemise de poil de chèvre.
7. Césium — Grand arbre.
8. Fleuve de France — Ville de l'Inde — Sélénium.
9. Argent — Roulé, au golf — Éculé.
10. Ville du Loiret, en France — Note — Organisme génétiquement modifié.
11. Aubaine — Orientaliste français mort en 1966.
12. Jardinier.

Jeu 2

	1	2	3	4	5	6	7	8	9	10	11	12
1							■					
2				■								■
3							■					
4			■									
5					■							
6	■					■				■		
7							■					
8		■							■			
9						■			■			
10				■						■		
11							■					
12												

□ Horizontalement □

1. Auteur dramatique français d'origine russe — Chapelle.
2. Annélide — Vent du nord-est — Rhodium.
3. Produit à base d'amidon — Ancienne province du Portugal central.
4. De naissance — Considérer — Appel à l'aide.
5. Article indéfini — Bouleversement.
6. Réseau de télévision anglophone — Palmier d'Arabie.
7. Dessinateur humoriste français — Varlope.
8. Entrée de magasin — Poésie.
9. Congestion — Paresseux — Unité de finesse d'une fibre textile.
10. Firme de fabrication électrique allemande — Grand arbre de l'Inde — La sienne.
11. Surcharger — Petite girouette pour indiquer la direction du vent.
12. École d'administration — Explication — Plante herbacée annuelle.

□ Verticalement □

1. Existant — Opération de teinture artisanale.
2. Conduite extravagante — Un billion.
3. Peintre et sculpteur français — Tréfilage.
4. Forme d'art — Versus — Commandement.
5. Arbrisseau du genre viorne — Ville de Syrie.
6. Poète allemand né en 1751 — Fleuve d'Afrique — Rivière des Alpes.
7. Observatoire européen austral — Ancienne unité de mesure d'accélération.
8. Soudard — Paul-Émile.
9. Titre — Sélénium.
10. Poignard à lame sinueuse — Hydrocarbure gazeux saturé.
11. Thromboembolie — Métal jaune.
12. Résine malodorante — Nom de l'équipe de la NFL qui évolue à Houston.

Jeu 3

	1	2	3	4	5	6	7	8	9	10	11	12
1			E		C		■	L	I	A	I	S
2	R	E	G		X		I		M	A	L	
3		■	I				R		P	L	E	
4			R				B	A	T		I	
5							R	D	P	S		
6	T	■					N	E	T		E	M
7	■	F	E		L	L	I	V	I	A		E
8							O	R	D	O		
9							E		R		T	
10	■	A	L				■	R	I	P	E	
11			L					M	I	A	O	
12	■		E				■	D	O	N	N	E	R

◻ Horizontalement ◻

1. Oiseau passereau — Pierre calcaire dure.
2. Röntgen Equivalent Man — Compositeur russe — Historien d'art français mort en 1954.
3. Mammifère d'Amérique tropicale — Verre feuilleté de sécurité.
4. Clamp — Selle.
5. Préposition — Petit colombier — Peintre et graveur belge mort en 1898.
6. Père — Propre — Éminence.
7. Fer — Enclave espagnole.
8. Typhon des Philippines — Calendrier liturgique.
9. Ouvrage de fortification en saillie sur une façade pour en renforcer la défense.
10. Aluminium — Réunion où l'on sert du thé, des gâteaux — Outil de sculpteur.
11. Pourcentage accordé à un vendeur sur ses ventes — Peuple de Chine.
12. Circonscription administrative de la Grèce antique — Indiquer.

◻ Verticalement ◻

1. Ville de Belgique — Groupe anglais des années 1960 natif de Liverpool.
2. Écrivain français né en 1823 — Fier.
3. Second calife des musulmans — Raclée.
4. Ville de Turquie — Noté — Lumen.
5. Nanocoulomb — Souterrain.
6. Morceau exécuté par l'orchestre tout entier — Limace grise.
7. Iridium — Société nationale italienne des pétroles présente dans 70 pays — Hélium.
8. Livre — Interjection marquant la joie — Molybdène.
9. Attribuer — Ancien parti politique du Québec.
10. Architecte finlandais — Médecin britannique mort en 1977.
11. Terre — Paul-Émile — Écrivain américain.
12. Phallocratie — Règle de dessinateur.

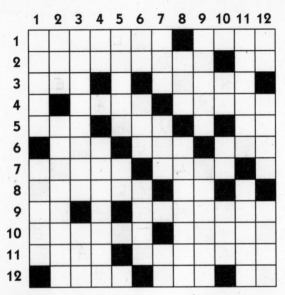

◻ Horizontalement ◻

1. Partisanne de — Eau-de-vie.
2. Vin blanc très fruité — Brome.
3. Tranquille et silencieux — Roi des Bretons.
4. Romance chantée — Aller.
5. Pareil — Style musical — Ut.
6. Numéro d'identification personnel — Limite — Gaz à effet de serre.
7. Singe d'Amérique — Rivière d'Aquitaine.
8. Elle a reçu l'Oscar du meilleur second rôle féminin pour son rôle d'Anita dans *West Side Story* — Début de roman.
9. Lui — Voiturier qui transportait des marchandises.
10. Ville de Grande-Bretagne — Tocade.
11. Calife — Abrégé d'un ouvrage historique.
12. Société nationale italienne d'électricité et plus important producteur d'énergie géothermique au monde — Homme politique français — Abréviation du mot éditeur.

◻ Verticalement ◻

1. Localité de Grande-Bretagne — Animal des eaux douces ou salées.
2. Navigateur portugais — Champignon des bois, à lames roses.
3. Grosse vrille servant à percer un moyeu — Plante herbacée.
4. Note — Médiator.
5. Ville de Belgique — Préposition.
6. Strontium — Symbole de l'unité de mesure décacoulomb — Fleuve côtier de Normandie.
7. École — Point — Apostille.
8. Lentille — Abcès des gencives.
9. Plante aux fleurs décoratives — Enroulement.
10. Voyelles — Germanium — Peuple noir du Nigeria oriental.
11. Chevet — Fente verticale qui se forme au sabot du cheval.
12. Chrome — Cinéaste italien né en 1922 — Cinéaste britannique.

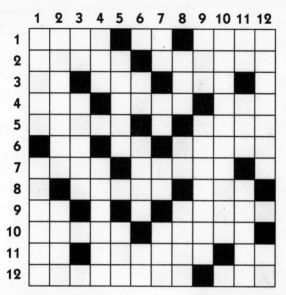

◻ Horizontalement ◻

1. Fleuve d'Irlande — Tangente — Berger sicilien aimé de Galatée.
2. Modelé — Impôt en nature perçu sur le produit de la récolte annuelle.
3. Préfixe — Désobligeant — Prénom de l'auteur qui a créé James Bond.
4. Simple soldat — Grande futaille — Peuple du sud-est du Nigeria.
5. Hagard — Ensemble des cellules non reproductrices.
6. Lutécium — Radium — Grand lézard carnivore.
7. Compositeur autrichien — Femme de lettres canadienne.
8. Multitude — Plante textile.
9. Américium — Titres d'un alliage.
10. Nourriture providentielle — Composé organique de l'ammoniac.
11. Préposition — Poncer avec une meule — Prénom de l'actrice Derek.
12. Confiner — Homme politique français.

◻ Verticalement ◻

1. Qui se développe au-dessus du sol — Censurer.
2. Odeur de renfermé, de moisi — Âme des ancêtres.
3. Aux limites de la nuit — Cinéaste espagnol né en 1932.
4. Légumineuse — Fenil.
5. Ville de Belgique — Région du Sahara.
6. Curie — Profond estuaire de rivière en Bretagne — Europium.
7. Gallium — Apostille — Largeur d'une étoffe — Enzyme.
8. Contesté — Commandement — Blessant.
9. Recueil de bons mots — Dépasser.
10. Mouvement.
11. Indium — Elle a repris le succès *Laisse-moi t'aimer* — Variété de haricot africain.
12. Laïque qui sert le prêtre — Écrivain japonais.

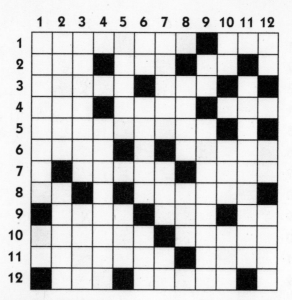

◻ Horizontalement ◻

1. Galvaniser — Roi de Juda.
2. Organisation des Nations Unies — Entrée de magasin — Lettre grecque.
3. Ville d'Italie — Oiseau palmipède.
4. Partie d'une voile destinée à être serrée — Premier roi des Hébreux — Explication.
5. Observer.
6. Ville du Nord, en Thiérache — Vedette féminine de *Mon cousin Vinny*.
7. Ville de la Seine-Maritime, en France — Ancienne arme de jet.
8. Conjonction — Pièce d'étoffe drapée.
9. Désir passionné — Prénom du rôle joué par Patrick Swayze dans *Mon fantôme d'amour* — Iridium.
10. Pâte malléable — Vent du nord.
11. Véhicule hippomobile découvert avec capote à soufflet — Urbaniste anglais.
12. Petite tumeur — Accord.

◻ Verticalement ◻

1. Alevin — Mégacycle.
2. Autochtone — Père d'Ésaü.
3. Cuissard d'armure — Ville hôte des Jeux olympiques d'hiver en 1952.
4. Grandir.
5. Homs — Verrue des bovins.
6. Lanthane — Contrats — Centre hospitalier universitaire.
7. Gouttière — Partie d'un canal entre deux écluses — Préposition.
8. Hameau — Île croate de l'Adriatique.
9. Paul-Émile — Personnage fanfaron.
10. Bradype — Larve du hanneton — Ancien premier ministre de l'Ontario.
11. Anaphylaxies.
12. Rivière de France — *Idem* — Ancienne province de la Chine.

Jeu 7

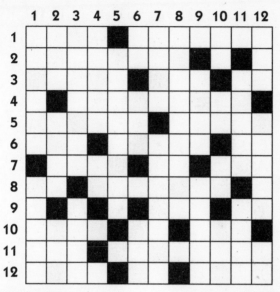

◻ Horizontalement ◻

1. Greffe — Relative à la tribu.
2. Musulman, au Moyen Âge.
3. Cri d'un animal à qui on tord le cou — Confiant — Jeu japonais.
4. Inspiration.
5. Voyant — Société française d'études et de conseil.
6. Orchestre symphonique de Montréal — Ville de Suisse — Sélénium.
7. Nom de deux phàraons de la XIXᵉ dynastie — Deux en chiffres romains — Unité de mesure thermique.
8. Interjection — Port de Grande-Bretagne.
9. Espace économique européen — Germanium.
10. Mathématicien norvégien né en 1802 — Jumelles — Commun.
11. Autocar — Relatif au terrain fluviatile du quaternaire.
12. Nom donné dans la Genèse à la Syrie — Afrique équatoriale — Port des États-Unis.

◻ Verticalement ◻

1. Unité monétaire principale du Portugal — Capitale du Bangladesh.
2. Cap d'Espagne — Peuple de Djibouti et de la Somalie — Débit de boissons.
3. Évidence — Poisson du lac Léman.
4. Instrument de chirurgie — Terbium.
5. Professionnel de l'actuariat.
6. Travailleur social — Canton de Suisse centrale — Première épouse de Jacob.
7. Cinéaste italien né en 1916 — Mousseline imitant la guipure.
8. Stérilité.
9. Outil de tailleur de pierre — Rogué.
10. Ville de la Marne, en France — Restes — Thallium — Titre.
11. Doctrine religieuse ésotérique — Oiseau.
12. Observatoire européen austral — Chapelle — Laize.

Jeu 8

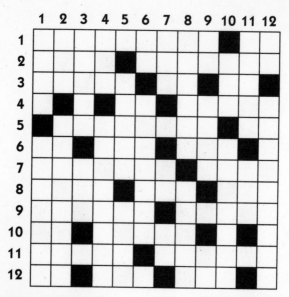

□ Horizontalement □

1. Propos, action qui amuse — Astate.
2. Dieux guerriers de la mythologie scandinave — Vêtement féminin.
3. Pelote basque — Dévêtu — Argon.
4. Argent — Flux.
5. Solennité, réjouissance — Lien.
6. Vache mythique — Cabriolet — Navire de guerre.
7. Coudre — Ville de Suisse.
8. Ville de la Russie — Chef éthiopien — Auteur du troisième Évangile.
9. Burin — Taillade.
10. Écrivain japonais — Séparation de deux éléments d'un mot.
11. Soupe très épaisse — Outil à ébarber les sculptures.
12. Europium — Régie des rentes du Québec — Classification pour l'huile.

□ Verticalement □

1. Sable d'origine fluviale — Chacun des éléments de même numéro atomique, mais dont les noyaux n'ont pas le même nombre de neutrons.
2. Grivois — Robe très ajustée.
3. Petit sureau à baies noires — Petit socle.
4. Observatoire européen austral — Façonner.
5. Langue turque parlée dans la vallée de la Volga — Pénible.
6. Scandium — Cartouchière.
7. Agent secret de Louis XV — Radium — Stibium.
8. Homme politique américain mort en 1972 — Temple d'Égypte creusé dans le roc.
9. Einsteinium — Ville du Gard, en France — Voyelles.
10. Rivière de Suisse — Étoupe.
11. Officiellement reconnu — Réponse positive.
12. Tellure — Brasiller.

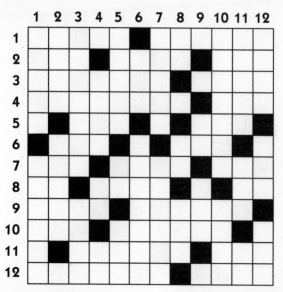

◻ Horizontalement ◻

1. Industriel américain né en 1819 — Appât pour attirer le poisson.
2. Plante bulbeuse à saveur piquante — Fiel — Du verbe avoir.
3. Arbre à écorce blanche argentée — Fleuve d'Afrique.
4. Figurer — Vote.
5. Société américaine d'équipements téléphoniques — Ancien premier ministre de l'Ontario.
6. Société de transport du Saguenay — Rivière de Suisse.
7. Classification pour l'huile — Châssis — Lettre triple.
8. Pronom personnel — Noyau de la Terre — Petit morceau cubique.
9. Prénom d'un membre de Rock et belles oreilles — Ascète.
10. Article — Ville de Belgique.
11. Tue-loup — Organisme crée en 1945.
12. Se racler la gorge — Massif volcanique d'Allemagne.

◻ Verticalement ◻

1. Écrivain et peintre français mort en 1936 — Poignard à lame triangulaire très effilée.
2. Fleuve de Géorgie — Ville du Gard, en France.
3. Papillon aux ailes fendues — Fils d'Isaac.
4. Unité monétaire principale de la Lettonie — Nanoseconde — Césium.
5. Homme politique allemand — Ancêtre de la bicyclette — À nous (pl.).
6. Prénom de l'auteur de *Dr No* — Stimulant.
7. Forme musicale — Flétrir.
8. Écrivain japonais — Deux en chiffres romains — Billet.
9. Radon — Peuple du sud-est du Nigeria.
10. Petit navire de la Méditerranée — Fleuve des Pyrénées.
11. Coiffure portée par certains dignitaires — Ville du sud-ouest du Nigeria — Europe occidentale.
12. Béquille — Vedette de *La fureur de vaincre* — Qui concerne les Chinois.

Jeu 10

	1	2	3	4	5	6	7	8	9	10	11	12
1										■		
2				■						■		■
3							■					
4						■		■				
5		■			■							
6			■									
7	■					■		■				
8				■								
9		■							■			
10							■					
11					■						■	
12				■								

◻ Horizontalement ◻

1. Canonique — Molybdène.
2. Organisation de l'unité africaine — Mollusque bivalve.
3. Formation — 365 jours — Nanocoulomb.
4. Instrument de musique — Ville du sud-est de la France.
5. Aluminium — Oiseau grimpeur — Rasette.
6. Einsteinium — Bouillonner — Sodium.
7. État du nord du Brésil — Carte à jouer.
8. Épaississement de l'épiderme — Bafouer.
9. Ville du Mali — Début d'école — Ville du Nigeria.
10. Solliciter — Banque Nationale.
11. Écrivain américain mort en 1973 — Prophète juif.
12. Homme politique français — Tumeurs d'une glande.

◻ Verticalement ◻

1. Organe où se forment les cellules femelles chez les champignons — Couffin.
2. Regimber — Ville de Belgique — Plante des prés vivace.
3. Port de Tanzanie — Caractérisé par des sensations de froid.
4. Mathématicien suisse né en 1707 — Pièce maîtresse de la charrue.
5. Rivière du nord de la France — Ville du comté de Rivière-du-Loup, où est né Mario Dumont.
6. Plutonium.
7. Forme d'art — Service de marine.
8. Dynastie chinoise — Cérium — Scandium — Étain.
9. Ville d'Italie — Style musical — Navigateur portugais.
10. Apostille — Dynastie chinoise — Préfixe.
11. Ville des Alpes-Maritimes, en France — Général vendéen.
12. Dispositif manuel d'appel d'un téléphone.

Jeu 11

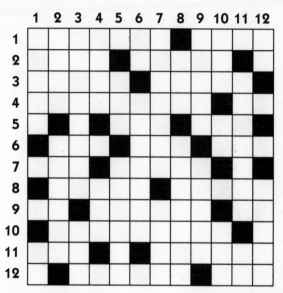

◻ Horizontalement ◻

1. Famille d'origine navarraise du XVIIᵉ siècle — Rivière de Suisse.
2. Mammifère ruminant qui vit dans la cordillère des Andes — Ici, en ces lieux.
3. Brouille, dispute — Port du Brésil.
4. Combinaison du sélénium avec un ou plusieurs corps simples — Rivière de France.
5. Ancienne capitale d'Arménie — Et cætera.
6. Limite — Sainte — Extrémité méridionale du plateau brésilien.
7. Ville de l'Iran — Coup porté avec une partie du corps.
8. Parc zoologique de Lisieux, en France — Berline.
9. Berkélium — Inventeur du premier pneumatique — Erbium.
10. Tirailler.
11. Non apprêté — File de bordages.
12. Plante nuisible aux céréales — Ville des Pays-Bas.

◻ Verticalement ◻

1. Commentaire malveillant — Cæsium.
2. Peu fréquent — Petit chien de chasse.
3. Combinaison — Compositeur russe.
4. Devin — Ancien pays dont l'unité monétaire était le mark.
5. École des élites — Blanchir le linge en le passant au bleu.
6. Nanocoulomb — Imminent.
7. Sveltesse — Écrivain italien rescapé d'Auschwitz.
8. Rivière de Suisse — Oblitération brusque d'un vaisseau sanguin.
9. Géant, fils de Poséidon et de Gaia — Ville de Belgique.
10. Roi de Juda — Thulium — Plante des prés vivace.
11. Ville du Tarn, en France — Rutherford.
12. Préposition — Ville de la Mayenne, en France.

	1	2	3	4	5	6	7	8	9	10	11	12
1												
2												
3												
4												
5												
6												
7												
8												
9												
10												
11												
12												

◻ Horizontalement ◻

1. Hareng ouvert, fumé et salé — Cinéaste américain né en 1911.
2. Bière blonde — Rivière de l'est de la France.
3. Ville de la Haute-Loire, en France — Germanium.
4. In — Ville de Belgique.
5. Afrique-Équatoriale française — Outil de sculpteur.
6. Écrivain allemand — Ville de la Sarthe, en France.
7. International Telephone & Telegraph — Gros fruit tropical.
8. Sert à lier — Carotte sauvage — Rivière de France.
9. Cépage du Languedoc — Ville de Roumanie.
10. Mécénat.
11. Homme politique suisse — Mollusque d'eau douce.
12. Sanve — Fleuve d'Écosse.

◻ Verticalement ◻

1. Taux de potassium dans le sang — Point.
2. Ville de l'île de Taiwan — Rétrograde.
3. Contrepartie — Maréchal prussien mort en 1879.
4. Ville du Loiret, sur la Loire, en France — Pasteur.
5. Balle dure — Pièce mécanique.
6. Américium — Lorgnon.
7. Scandium — Couvert.
8. Tantale — Peuple du Laos — Elle a repris le succès *Laisse-moi t'aimer*.
9. Tyrannie.
10. Radon — Façons — Ville d'Eure-et-Loir, en France.
11. Société de construction électrique allemande — Muscle du corps humain — Voyelles.
12. Ville des Pays-Bas — Terrains que la mer laisse à découvert.

Jeu 13

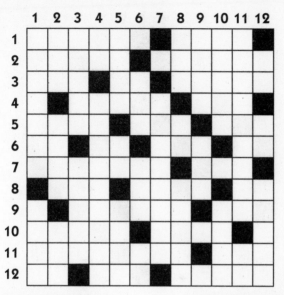

| | 1 | 2 | 3 | 4 | 5 | 6 | 7 | 8 | 9 | 10 | 11 | 12 |

◘ Horizontalement ◘

1. Sport — Économiste allemand.
2. Potée de viandes et de légumes — Trou fait avec un foret.
3. Article indéfini — Pascal — Unité de capacité électrique.
4. Ville d'Italie — Numéro d'identification personnel.
5. Dans la montagne, versant à l'ombre — Il a 15 ans — Parti politique.
6. Article étranger — Début de roman — Pour sauter — Deux en chiffres romains.
7. Jeune fille vertueuse — Louange (vieilli).
8. Navigateur portugais — Habitation des pays russes — Tour.
9. Pays d'Europe — Communauté d'États indépendants.
10. Arbre équatorial — Calendrier liturgique.
11. Substance étrangère à l'organisme capable d'entraîner la production d'anticorps — Petit socle.
12. Prénom de l'actrice Derek — Onde — Séparation de deux éléments d'un mot.

◘ Verticalement ◘

1. Ramer — Homme politique autrichien.
2. Dynastie chinoise — Prison — Sur la boussole.
3. Docteur de la loi — Ongle très développé.
4. Aluminium — Hargne.
5. Lézard à pattes très courtes — Écrivain japonais — Danse originaire des îles de l'océan Indien.
6. Roi de Juda — Sigle d'une ancienne formation politique québécoise — Europium.
7. Union.
8. Amure — Petit lac des Pyrénées — Faluche.
9. État de l'Asie occidentale — Journaliste espagnol.
10. Médaillé d'or au relais 4x100 m en 1996 — Un des comédiens de Broue.
11. Père — Einsteinium.
12. Abréviation du mot éditeur — Nombre romain — Rafale.

Jeu 14

	1	2	3	4	5	6	7	8	9	10	11	12
1												
2												
3												
4												
5												
6												
7												
8												
9												
10												
11												
12												

◻ Horizontalement ◻

1. Ville de la Gironde, en France — Serge de laine.
2. Spécialiste de droit romain — Molybdène.
3. Doctrine mystique islamique — Au fond de soi-même (... intérieur).
4. Indium — Réastiquer.
5. Extrémité méridionale du plateau brésilien — Cinéaste italien né en 1916.
6. Lac de la Turquie orientale — Vêtu.
7. Pour récupérer — Secouer.
8. Grossière étoffe de laine brune — Chanteur du groupe Aerosmith.
9. Crépuscule — Pronom démonstratif.
10. Formation militaire recrutée au Maroc — Ligue Nationale d'Improvisation — Blasé.
11. Gloire — Chalumeau.
12. Ville d'Espagne — Action de soulever un corps à l'aide d'un levier.

◻ Verticalement ◻

1. Bois détruit par le feu — Groupe anglais des années 1960 natif de Liverpool — Ville du Mali.
2. Maréchal prussien mort en 1879 — Personne dure et rapace.
3. Ébranlé — Homard.
4. Pièce verticale du corps du gouvernail — Ville des Pays-Bas.
5. Disconvenir — Restes.
6. Langage de programmation symbolique — Carreau.
7. Brouillard — Mammifère carnivore d'Afrique et d'Asie.
8. Ville du Morbihan, en France — Tromperie.
9. Sélénium — Iridium — Unité de mesure thermique — Paul-Émile.
10. Faire son frais — Plante bulbeuse.
11. Rivière de l'Éthiopie — Titre — Houppelande.
12. Assemblage de brins tordus — Renforcement momentané du vent.

Jeu 15

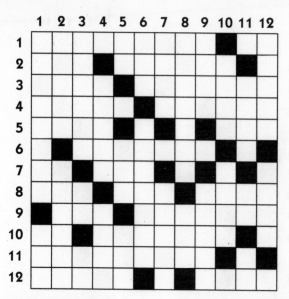

◻ Horizontalement ◻

1. Friser une chevelure — Paul-Émile.
2. Aire de vent — Ville du Bas-Rhin, en France.
3. Étroitement collé — Gaz inflammable.
4. Petit vautour au plumage noir — Agile.
5. Poisson des lacs alpins — Lettre triple.
6. Cadeau.
7. Révérend Père — Prénom du rôle joué par Patrick Swayze dans *Mon fantôme d'amour*.
8. Imitation d'un métal précieux — Liquide — Pareil.
9. Ligue Nationale d'Improvisation — Arbrisseau porteur de baies.
10. Paresseux — Oiseau passereau d'Amérique.
11. Prononcer.
12. Ville de la Marne, en France — Ville d'Italie.

◻ Verticalement ◻

1. Fromage fabriqué en Savoie — Rivière de Suisse.
2. Affluent de la Loire — Organisation de l'ordre.
3. Ver parasite du mouton — Compagnie de chemin de fer du Canada — Curie.
4. Jeux — En outre.
5. Restes — Chef éthiopien — Ville de Belgique.
6. Élégant, distingué — Dynamique.
7. Plante valérianacée — Æthuse.
8. Distant — Ancien premier ministre de l'Ontario.
9. Étoffe d'ameublement d'armure toile — Revêtement en pierres sèches.
10. Outil du génie civil — Unité monétaire des Samoa.
11. Poétesse française morte en 1967 — Lui — Règle de dessinateur.
12. Homs — Aréquier.

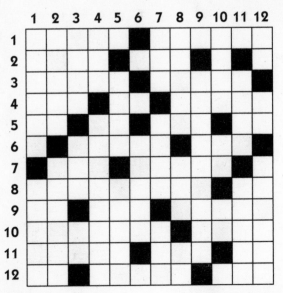

□ Horizontalement □

1. Tissu en armure toile — Bâton pastoral d'évêque.
2. Mammifère d'Amérique tropicale — État de l'Inde occidentale.
3. Unité de mesure de masse valant 0,2 gramme — Ville de Suisse.
4. Grand perroquet — Étain — Noircir.
5. Conjonction — Bonne action — Démonstratif — Pascal.
6. Cheval d'Afrique du Nord — Écrivain américain.
7. Petite massue — Ville du Pas-de-Calais, en France.
8. Circonscrire — Carat.
9. Article espagnol — Numéro d'assurance sociale — Ville du Luxembourg.
10. Claudiquer — Président de l'Albanie élu en 2007.
11. Dévidoir des cordiers — Éculé — Électronvolt.
12. Interjection — Rafale — Saint-pierre.

□ Verticalement □

1. Cerf-volant — Ville d'Italie.
2. Lac de la Laponie finlandaise — Mufti.
3. Ville du Japon — Marcel Bich est l'inventeur de ce produit — Conjonction.
4. Organisation de l'unité africaine — Comparer.
5. Empereur — Ville de Finlande.
6. Rivière de Gascogne.
7. Cheval demi-sang utilisé pour la selle — Vent d'ouest dans le bas Languedoc — Plante des prés vivace.
8. Écrivain allemand mort en 1910 — Röntgen Equivalent Man — Sélénium.
9. Discordant.
10. Ville de l'Orne, en France — Restes — Molybdène.
11. Insecte rhynchote — Touffe de rejets de bois.
12. Préposition — Radium — Amarrage fait sur deux cordages.

	1	2	3	4	5	6	7	8	9	10	11	12
1												
2												
3												
4												
5												
6												
7												
8												
9												
10												
11												
12												

❒ Horizontalement ❒

1. Récipient peu profond — Restes — Roi de Hongrie.
2. Prénom masculin — Saint — Ville du Nigeria.
3. Officier de police — Cale en forme de V.
4. Interjection — Siège bas, en Afrique — Poussée.
5. Contourner — Lettre grecque.
6. Psitt — Ville des Pays-Bas.
7. Punaise vivant sur l'eau — Régime d'épargne-retraite.
8. Fils de Noé — Qui a perdu beaucoup de sang.
9. Difficulté — Juge musulman — Samarium.
10. Refus — Tumeur conjonctive bénigne.
11. Prince troyen — Terme utilisé principalement par les taoïstes.
12. Grand champignon — Port du Brésil.

❒ Verticalement ❒

1. Récipient cylindrique en verre — Ville du Luxembourg méridional.
2. Plante à feuilles dentées — Ville d'Italie.
3. Béquille — Trimarder.
4. Femme de lettres française — Europium.
5. Danse ou chanson sur laquelle on dansait, au Moyen Âge.
6. Plante cultivée pour ses tubercules comestibles — Fébrile.
7. Port de la Guinée équatoriale — Poète italien né en 1883.
8. Argile rouge ou jaune — Groupe d'une certaine importance.
9. Ville du Nord, en France — Une des cyclades.
10. Petit fleuve côtier du nord de la France — Région du Sahara — Billet.
11. Tamiseuse.
12. Existant — Unité de mesure des radiations absorbées par un corps vivant — Thallium.

Jeu 18

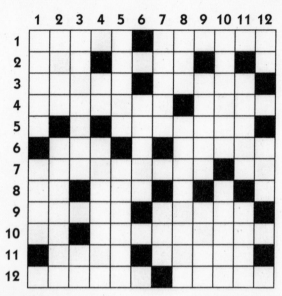

☐ Horizontalement ☐

1. Mur de soutènement — Cavité de forme irrégulière à la surface d'un organe.
2. Offre publique d'achat — Oiseau.
3. Trou de vidange d'une embarcation — Terre d'alluvions au fond des vallées.
4. Produire un bruit sourd — Calife.
5. Percer un trou.
6. Démonstratif — Coopérative, dans l'ancienne Russie.
7. Tutelle — Règle de dessinateur.
8. En chimie, suffixe qui désigne les alcools — Poisson marin vorace.
9. Espèce très commune d'aconit — Cérémonial somptueux.
10. Préposition — Placé en tête.
11. Ancienne ville de la Palestine — Nostalgie.
12. Réclusionnaire — Architecte et designer américain né en 1907.

☐ Verticalement ☐

1. Taffetas léger de soie — Mollusque gastéropode.
2. Entretoise — Partie inférieure d'une pierre précieuse.
3. Varloper — Pronom anglais.
4. Ligue nationale — Ver marin.
5. Pasteur luthérien norvégien — Châtiment.
6. Air.
7. Cinéaste américain mort en 1991 — Oiseau.
8. Partie aval d'une vallée — Quiproquo.
9. Maladie infectieuse — Puissance surnaturelle.
10. Casoar — Suc des capsules d'un pavot.
11. Rivière de Roumanie — Port des États-Unis.
12. Philosophe français né en 1900 — Vedette de *La fureur de vaincre*.

Jeu 19

	1	2	3	4	5	6	7	8	9	10	11	12
1	P	I	N	G	O	U	I	N		S	A	I
2	O	S	S	A		B		E	S	O		R
3	P	A		M	O	U	S	T	A	C	H	E
4	O	R	O	B	E		C	O	I		A	N
5	V		B	A	T	N	A		E	R	I	E
6		S	I	D	A		T	I		O	R	E
7	A	C	T	E		S		R	E	N	E	
8	S	A	U	R	I	E	N		N	D		E
9	A	N	A		P		O	B	V	I	E	R
10		D	I	R	E	C	T	I	O	N		N
11	N	E	R	A	C		E	L	Y		M	E
12		R	E	N	A	N		L	E	C	C	E

❑ Horizontalement ❑

1. Macareux — Petit singe.
2. Montagne de Thessalie — Observatoire européen austral.
3. Pascal — Vibrisse.
4. Plante voisine de la gesse — Pantois — Cycle des saisons.
5. Ville d'Algérie — Port des États-Unis.
6. Maladie, souvent mortelle — Titane — Unité monétaire de la Suède.
7. Contrat — Guide.
8. Lézard — Néodyme.
9. Recueil de bons mots — Éviter.
10. Conduite, administration.
11. Ville du Lot-et-Garonne, en France — Ville de Grande-Bretagne — Moi.
12. Saillie — Ville d'Italie.

❑ Verticalement ❑

1. Inventeur de l'antenne radioélectrique — Roi de Juda.
2. Rivière du sud-ouest de l'Allemagne — Ponctuer.
3. Nanoseconde — Mortuaire.
4. Danser — Ancienne unité de dose absorbée de rayonnements.
5. Montagne de Grèce — Ipécuanha.
6. Roi stupide et cruel — Sélénium.
7. Style d'improvisation vocale — Avis.
8. Homme politique angolais né en 1922 — Iridium — Projet de loi du Parlement anglais.
9. Sagum — Ambassadeur.
10. Rasette — Bille de bois.
11. Chemise de poil de chèvre — Marque de commerce.
12. Évêque de Lyon — Ville de la Mayenne, en France.

Jeu 20

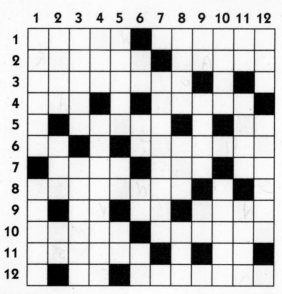

□ **Horizontalement** □

1. Martre du Canada — Cheval aux pieds avant tournés vers l'arrière.
2. Fraises — Très.
3. Corriger.
4. De Dieu, en latin — Estacade.
5. Très exactement — Disque.
6. Nickel — Plante ornementale méditerranéenne.
7. Muse de la Poésie épique et de l'Histoire — États-Unis — Électronvolt.
8. Variété d'orge commune.
9. Soldat américain — Afrique équatoriale — Feuille de tabac.
10. Personnage représenté en prière — Ouvrier qui met le tissu sur les rames.
11. Ville de France qui était candidate pour les Jeux olympiques d'hiver en 2018 — Actinium.
12. Conjonction — Champlever.

□ **Verticalement** □

1. Amnistie — Muscle du corps humain.
2. Ville d'Italie — Ville du Pérou — Radon.
3. Boisson gazeuse et acidulée — Ville de Suisse.
4. Volcan du Japon — Rejeter.
5. Ville du Lot-et-Garonne, en France — Écrivain japonais — Technétium.
6. Samarium — Métal argenté très dense (symbole) — Lanthane — Ytterbium.
7. Projeter hors de soi avec force une sécrétion.
8. Rivière de Suisse — Résine extraite de la férule — Rivière de Suisse.
9. Nanoseconde — Plus long cours d'eau du Kenya — Curium.
10. Ville de Belgique — Hymne guerrier en l'honneur d'Apollon.
11. Radium — Appât — Chip.
12. Cri des charretiers — Déporter.

Jeu 21

	1	2	3	4	5	6	7	8	9	10	11	12
1									■			
2				■		■						■
3					■							
4									■			
5		■										
6				■			■			■		
7						■						
8	■						■					■
9		■							■			
10											■	
11						■						
12		■										

❑ Horizontalement ❑

1. Glande au-dessous de l'angle interne de l'œil — Pièce mécanique.
2. Ébranlé — Protozoaire pourvu d'un noyau.
3. Partie intérieure d'un temple grec — Éviscération.
4. Ester.
5. Vedette masculine de *Une histoire d'amour* — Ville de la région Basse-Normandie, en France.
6. Arbre — Triage — À moi — Cérium.
7. Garni de feuilles — Baraque.
8. S'enfuir — Diligent.
9. Béryllium — Interjection — Madame.
10. Lamelle — Préposition.
11. Fonds d'un parc à huîtres — Ville du Japon.
12. Ville d'Arabie saoudite — Petit socle.

❑ Verticalement ❑

1. Adoucissant — Traverse.
2. Octroi de la vie sauve à un ennemi — Voile triangulaire d'un navire — Actinium.
3. Nom d'un pont de Rome — Lèvre inférieure des insectes.
4. Factionnaire.
5. Livre — Dieu grec de la Mer — Hallucinogène.
6. Béquille — Ancien premier ministre de l'Ontario.
7. Compositeur français — Affluent de l'Eure.
8. Kolkhoz — Mauvais petit cheval.
9. Héros de Castro — Compartiment d'un meuble — Préposition.
10. Matière textile — Ville d'Allemagne — Note.
11. Mégaoctet — Allégé.
12. Ville de la Mayenne, en France — Prince légendaire troyen.

Jeu 22

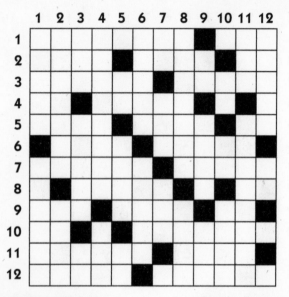

◻ Horizontalement ◻

1. Soutenir — Symbole de l'unité de mesure décacoulomb.
2. Héroïne légendaire grecque, épouse d'Héraclès — Transmuter — Localisation géographique.
3. Homme politique salvadorien né en 1925 — Capitale de l'Oregon.
4. Article espagnol — Refuge.
5. Unité monétaire de l'Afrique du Sud — Rameau imparfaitement élagué — Cela.
6. Ville de l'Inde — Satellite d'Uranus.
7. Orner de dessins sinueux — Jeune saumon.
8. Ouvrage de fortification — Apostille.
9. Roulement de tambour — Société nationale italienne d'électricité et plus important producteur d'énergie géothermique au monde — Polonium.
10. Iridium — Abri.
11. Roseau taillé utilisé dans l'Antiquité pour écrire — Pièce de l'habillement.
12. Ville du Morbihan, en France — Circonscrire.

◻ Verticalement ◻

1. Canard — Tache violacée de la peau.
2. Reproduction — Grand lac salé d'Asie.
3. Journaliste espagnol — Ville d'Écosse — Nombre romain.
4. Tout appareil de navigation aérienne qui n'est pas un aérostat — Classification pour l'huile.
5. Tantale — Poète épique et récitant — Manganèse.
6. Séparation de deux éléments d'un mot — Fleuve de Bretagne.
7. Europium — Ville du Pérou — Nouveau.
8. Propriété de reprendre sa position première — Ville d'Espagne.
9. Radium — Grand plat en terre — Fleuve du sud-est de la France.
10. Lithium — Début d'école — Cinéaste américain.
11. Enzyme — Crustacé terrestre.
12. Intervalle musical — Nanoseconde.

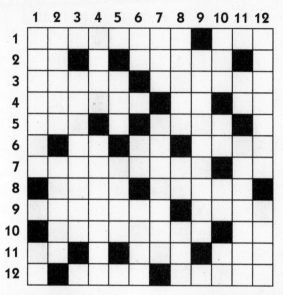

□ **Horizontalement** □

1. Couronne — Première épouse de Jacob.
2. Actinium — Noix d'eau.
3. Résine fournie par des arbres tropicaux — Peuple de la Côte d'Ivoire.
4. État du nord-est de l'Inde — Lutécium — Année.
5. Bouche — Premier batteur du groupe The Beatles.
6. Afrique équatoriale — Tour — Port du Maroc.
7. Obséquiosité — Ligue nationale.
8. Nom scandinave du dieu germanique Wotan — Rivière d'Italie.
9. Plantard — Fleuve du nord-ouest de l'Irlande.
10. Teinte vive que donne le sang affluant au visage — Docteur.
11. Fer — Charpente qui supporte un navire en construction — Dans le nom du pays dont la capitale est Sri Jayawardenapura.
12. Bord — État de l'Asie orientale.

□ **Verticalement** □

1. Monnaie d'or anglaise valant environ une guinée — Francium.
2. Plante aquatique — Ancienne contrée de l'Asie Mineure.
3. Cépage blanc du Bas-Languedoc.
4. Arbre de Malaisie utilisé comme poison — Déposséder juridiquement.
5. Hallucinogène — Ancien Empire.
6. Thulium — Thallium — Rivière du Jura suisse.
7. Vaccin contre la typhoïde — Ville de l'Eure, en France.
8. Enveloppe de certains fruits — Tangente — Rivière des Alpes.
9. Poire à la peau rougeâtre.
10. Monnaie roumaine — Métal argenté très dense (symbole) — Iridium — Stéradian.
11. Lanthane — Flet.
12. Nom d'une des sept collines de Rome — Port des États-Unis.

Jeu 24

	1	2	3	4	5	6	7	8	9	10	11	12
1									■			
2			■								■	
3					■							
4									■			
5				■		■						
6		■					■					■
7							■					
8						■						
9	■				■							
10							■				■	
11						■						■
12			■		■							

❑ Horizontalement ❑

1. Relatif à l'aine — Désobligeant.
2. Négation — Paresseux.
3. Conclusion d'un morceau de musique — Bulletin.
4. Apophyse du cubitus — Substance friable dans l'eau.
5. Adjectif possessif (pl.) — Théâtre National Populaire — Paul-Émile.
6. Port du Ghana — Port des États-Unis.
7. Chef — Onde — Lettres inscrites au-dessus de la Croix.
8. Ville de Suisse — Zone du globe terrestre.
9. Cloison — Danse péruvienne.
10. Ville d'Italie — International Telephone & Telegraph.
11. Massif de l'Algérie orientale — Trois en chiffres romains.
12. Samarium — Vautour fauve.

❑ Verticalement ❑

1. Impertinent — Partie d'un canal entre deux écluses.
2. Fromage au lait de chèvre — Métal bleu-blanc.
3. Congédier.
4. Versant d'une montagne exposé au nord — Ville de la Mayenne, en France.
5. Iridium — Tuteurer — Nanoseconde.
6. Ville du Japon — Fleuve de France — Cale en forme de V.
7. Entaille oblique destinée à l'assemblage — États-Unis — Francium.
8. Papillon diurne — Rivière de l'Asie.
9. Plutonium — Inculte.
10. Ville de l'Orne, en France — Oisif.
11. Ville de Belgique — Satellite.
12. Ville d'Allemagne — Rivière du sud-ouest de l'Allemagne.

Jeu 25

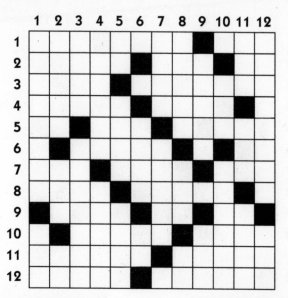

◻ Horizontalement ◻

1. Contaminé — Organisme créé en 1945.
2. Région aux confins de la Grèce et de l'Albanie — Bacon, laitue, tomate — Jumelles.
3. Montagne des Alpes occidentales — Herbe de Saint-Jacques.
4. Poire utilisée pour déboucher le conduit auditif — Interjection.
5. Note — Comptoir — Ville de l'Inde.
6. Frapper — Fleuve de France.
7. Pour la troisième fois — Ancien État situé dans le sud-ouest de l'Iran actuel — Initiales du premier ministre du Canada de 1968 à 1979 et de 1980 à 1984.
8. Architecte espagnol prénommé Enrique — Fruit charnu.
9. Ville du Japon — Curie — Travailleur social.
10. Ébranchoir — Ville de la Gironde, en France.
11. Pénibles — Crochet pointu.
12. Auteur dramatique français mort en 1928 — Longue période difficile.

◻ Verticalement ◻

1. Austérité — Symbole de l'unité de mesure décacoulomb.
2. Partie allongée et saillante d'un os — Le sujet — Muon.
3. Ville d'Italie — Plisser.
4. Déluge — Unité de mesure pour les bois de charpente.
5. *Id est* — Rivière de Suisse — Elle a popularisé *C'est trop facile*.
6. Montagne de l'ouest de la Bulgarie — Apostille.
7. Versant d'une montagne exposé au nord — Fleuve de Bretagne.
8. Ville d'Espagne — Peuple du Laos — Europium.
9. Ville de Russie — Acide ribonucléique.
10. Unité de mesure calorifique — Maie.
11. Ville du sud-ouest du Nigeria — Ancien premier ministre de l'Ontario — Cassier.
12. Pertinente — Substance soluble dans l'eau.

	1	2	3	4	5	6	7	8	9	10	11	12
1												
2												
3												
4												
5												
6												
7												
8												
9												
10												
11												
12												

◻ Horizontalement ◻

1. Carnet de notes — Non apprêté.
2. Fruits rouges — Lac de Syrie.
3. Partie saillante qui soutient un élément de construction ou de décoration — Début d'abcès.
4. Interjection — Approbations.
5. Début d'espace — Publication qui fournit des renseignements spécialisés.
6. Sédimentaire.
7. Fleuve d'Espagne — Partie de la charrue — Rivière de l'Europe centrale.
8. Glucoside extrait de nombreux végétaux — Grande épée.
9. Héros de la révolution française.
10. Décagramme — S'embourber.
11. Théologien musulman — Poisson-chat.
12. Négondo — Profond estuaire de rivière en Bretagne.

◻ Verticalement ◻

1. Scories résultant de la combustion du charbon — Dette.
2. Plantes à feuilles dentées — Antilope africaine.
3. Femme de lettres américaine — Morceler.
4. Peuple de Djibouti et de la Somalie — Muscardin — Adjectif possessif.
5. Archaïque — Titre donné dans l'Inde musulmane aux grands dignitaires.
6. Ville hôte des Jeux olympiques d'hiver en 1952 — Éculé.
7. Vestige — Anneau de cordage.
8. Interjection — Intérieur d'un cigare — Ancêtre de la bicyclette.
9. Petit antilope d'Europe — Cinéaste italien né en 1931.
10. Petit café à clientèle populaire — Bain.
11. Rad — Nanoseconde — Poète grec.
12. Einsteinium — Désobligeant — Réseau express régional.

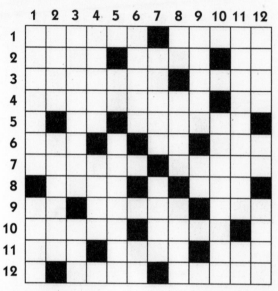

❏ Horizontalement ❏

1. Exaltation — Calibre servant à donner une forme courbe à un ouvrage.
2. Elle a popularisé *C'est trop facile* — Ville de Roumanie — Hectolitre.
3. Une des deux plus petites des sept collines de Rome — Fleuve d'Afrique.
4. Recommencer — Théâtre national.
5. Largeur d'une étoffe — Peintre et dessinateur français né en 1859.
6. Officier de la cour du sultan — Rhénium — Annélide.
7. Baie du Nunavik — Plaine du nord-ouest du Maroc.
8. Montagne de Grèce — Société nationale italienne des pétroles.
9. Restes — Roi de Bavière né en 1848 — Petit socle.
10. Fleuve de Géorgie — Peintre italien né en 1615.
11. Prénom du sprinter qui fut dépouillé de sa médaille d'or en 1988 — Bord — Ville du Mali.
12. Ville de Galilée — Suber.

❏ Verticalement ❏

1. Il incarnait Sol — Se dit d'un mur sans fenêtre, ni porte.
2. Mari de Bethsabée — Reconnaissance d'un objet par l'un des cinq sens.
3. Blocaille de petits matériaux et de mortier dont on remplit l'intervalle entre les deux parements d'un mur de pierre — Jamais.
4. Désigner à une dignité — Dieu solaire égyptien.
5. Négation — Cri.
6. Ville du Var, en France — Radium.
7. Chimiste allemand né en 1902 — Élément atomique n° 5.
8. Cæsium — Regimber — Poétesse française morte en 1967.
9. Canard — Hélium.
10. Prééminence.
11. Friandise très délicate — Argent.
12. Poussée — Rubidium — Cri des bacchantes.

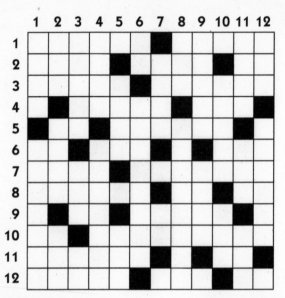

◘ Horizontalement ◘

1. Récipient — Ville d'Irak.
2. Fleuve d'Irlande — Poisson — Peuple de l'île de Hainan.
3. Vent — Petit fagot de bois.
4. Ville de la Haute-Loire, en France — Maladie cryptogamique des plantes.
5. Petit cube — Temple grec.
6. Argon — De Dieu, en latin — Plante liliacée à odeur forte.
7. Juge musulman — Chausson aux fruits.
8. Colorant — Jumelles — Début d'école.
9. Petit fleuve côtier du nord de la France — Ville des Deux-Sèvres, en France.
10. Révérend Père — Ordre d'oiseaux omnivores.
11. Volontaire — Tantale.
12. Acteur français d'origine suisse né en 1895 — Saint-pierre — Platine.

◘ Verticalement ◘

1. Oiseau — Harmonies.
2. Médecin — Fleuve d'Afrique — Architecte américain d'origine chinoise.
3. Accord — Fleuve d'Afrique — Curium.
4. Ville de la Loire-Atlantique, en France — Baseballeur qui fut l'époux de Marilyn Monroe.
5. Greffon — Acide désoxyribonucléique.
6. Einsteinium — Tacot.
7. Site archéologique du sud du Vietnam — Pronom personnel.
8. Groupe qui a popularisé *Poker* — Droguet de soie.
9. On célèbre ce festival à Victoriaville et à Joly — Ville de Grande-Bretagne.
10. Cérat — Pianiste français né en 1890.
11. Hameau — Suffixe — Limite.
12. Meuble — Tige droite.

Jeu 29

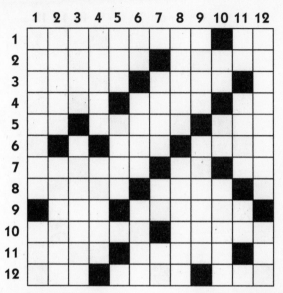

❑ Horizontalement ❑

1. Disloquer — Titane.
2. Conseillère secrète — Philosophe français.
3. Oiseau passereau — Badiane.
4. Bordure étroite — Port du Yémen — Laize.
5. De naissance — Brande — Grande nappe naturelle d'eau douce.
6. Serpent — Historien d'art français mort en 1954.
7. Dériver — Cobalt — Parti politique.
8. User jusqu'à la corde — Peuple des Philippines.
9. Peintre néerlandais né en 1613 — Précepte sanskrit.
10. Hibiscus — Longue plume de l'aile des oiseaux.
11. Bord — Écorce de la tige de chanvre.
12. Berceau — Ville du Cher, en France — Ancien premier ministre de l'Ontario.

❑ Verticalement ❑

1. Contraster — Antilope d'Afrique.
2. Hagard — Sauce brune additionnée de madère.
3. Sable calcaire des rivages — Chavirer.
4. Satellite d'Uranus — Ancien signe de notation musicale.
5. Femme de lettres américaine — Basse vallée d'un cours d'eau.
6. Démonstratif — Ville du Nord, en Thiérache — Ville de l'Hérault, en France.
7. Rivière d'Italie — Molybdène — Iridium.
8. Ville de la Mayenne, en France — Lien servant à attacher.
9. Partie inférieure ou centrale d'une voûte — Temporel.
10. Nanoseconde — Lanthane — Agrémenter.
11. Métal argenté très dense (symbole) — Compositeur français mort en 1892 — Douze mois.
12. Scandaleux — Ville des Pays-Bas.

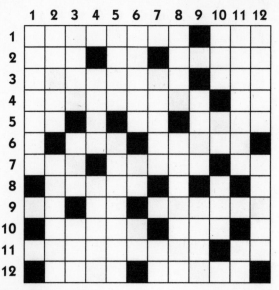

▢ Horizontalement ▢

1. Retentissant — Prénom du rôle joué par Patrick Swayze dans *Mon fantôme d'amour*.
2. Joyeux — Route rurale — Ville d'Italie.
3. Réfractaire — Société de transport du Saguenay.
4. Boisson fabriquée à partir des bourgeons de ces épicéas — Prêtresse d'Héra, aimée de Zeus.
5. Tour — Tantale — Ville d'Allemagne.
6. Article — Bord intérieur d'un plat.
7. Période des chaleurs — Le bourdon en est un — Préposition.
8. Oiseau aquatique.
9. Strontium — Article contracté — Région au sud de Paris.
10. Pied de vers composé d'une brève et d'une longue accentuée — Orientation.
11. Solide dont la forme approche de celle de la sphère — Silicium.
12. Amas de sporanges sous la feuille d'une fougère — Outil servant à battre.

▢ Verticalement ▢

1. Roi légendaire de Mycènes.
2. Buse d'aérage — Insecte archiptère.
3. Langage de programmation symbolique — Première épouse de Jacob — Écrivain et nouvelliste finlandais.
4. Rivière d'Europe qui arrose le nord de la France — Tuteurer.
5. Ville de l'Orne, en France — Tonique.
6. Petit casque fermé — Paul-Émile — Europe occidentale.
7. Ville du Japon — Livre.
8. Enveloppe de certains mollusques — Notes ajoutées à un ouvrage pour le compléter.
9. Fleuve d'Espagne — Ville d'Eure-et-Loir, en France.
10. Situé — En chimie, suffixe qui désigne les alcools — À deux voix.
11. Anémone de mer — Sélénium.
12. Hadron formé d'un quark et d'un antiquark — Grains de beauté.

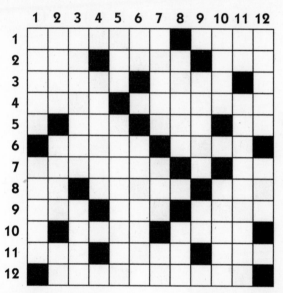

Jeu 31

□ **Horizontalement** □

1. Défendre — Style d'improvisation vocale.
2. Médecin — Ville du Nord, en Thiérache — Oiseau palmipède.
3. Instrument à six cordes frottées — Pharaon.
4. Homme politique angolais né en 1922 — Natte.
5. Préfixe — Tesson — Dieu solaire.
6. Dieu grec de la Mer — Graisse du sanglier.
7. Protection — Deux en chiffres romains.
8. Argon — Mathématicien suisse né en 1707 — Société de transport de Sherbrooke.
9. Canadian Automobile Association — Écrivain américain — Appât.
10. Brouillard — Muse de la Poésie épique et de l'Histoire.
11. Portion — Ville de Bulgarie — Observatoire européen austral.
12. Soigné.

□ **Verticalement** □

1. Ville d'Ukraine — Croupière constituant une pièce du harnachement.
2. Port des États-Unis — Ville du Japon — Indique la présence d'une fonction alcool.
3. Être en suspension dans les airs — Ville d'Italie.
4. Porte.
5. Classification pour l'huile — Ville de la région de Québec.
6. Préposition — Petit poème champêtre.
7. Cérat — Espace économique européen — Stéradian.
8. Procès-verbal de conventions entre deux puissances — Organisme crée en 1945.
9. Langue turque parlée dans la vallée de la Volga — Article étranger.
10. Fibre de noix de coco — Couper avec une lame tranchante.
11. Paresseux — Maladie des oiseaux transmissible à l'homme.
12. Mat — Baie où se trouve Nagoya.

Jeu 32

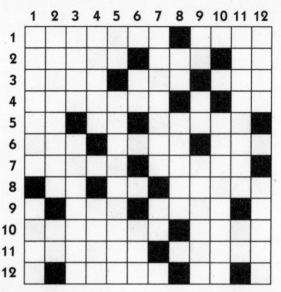

□ Horizontalement □

1. Nourricier — Gros crapaud.
2. Homme politique français — Organisation mondiale de la Santé — Iridium.
3. Bande de fer — Épouse du fils — Peuple du sud du Bénin.
4. Qui exprime le souhait — Drame japonais.
5. Cheval-vapeur — Ruthénium — Avant-train d'une voiture à chevaux.
6. Heure avancée du Centre — Anse — Argile ocreuse.
7. Ville du Nigeria oriental — Partie terminale de la patte des insectes.
8. Erbium — Lutécium — Monastère orthodoxe.
9. Agence centrale de renseignements américaine — Danse originaire des îles de l'océan Indien.
10. Mauvaise — Personne courageuse.
11. Ville d'Éthiopie — Flux.
12. Étendue sableuse — De naissance.

□ Verticalement □

1. Plante à feuilles triangulaires — Homme politique autrichien.
2. Opalescent — Bachelier en sciences.
3. Service religieux — Plante à rhizome tubéreux.
4. Vêtement en tissu polaire — Rivière du sud-ouest de l'Allemagne.
5. Jumelles — Animal de l'embranchement des cœlentérés.
6. Ancêtre de la bicyclette — Lac de la Turquie orientale.
7. Dédit — Sélénium.
8. Muon — Galère.
9. Apostille — Curium — Pardessus.
10. Bâtiment où sont conservés des ossements humains.
11. Défricheur — Écrivain japonais.
12. Fleuve d'Italie qui traverse la Toscane — Général et homme politique portugais.

	1	2	3	4	5	6	7	8	9	10	11	12
1												
2												
3												
4												
5												
6												
7												
8												
9												
10												
11												
12												

❑ Horizontalement ❑

1. Ornement qui prend la forme d'une palme stylisée — Ville du Pérou.
2. Ville du sud-est du Nigeria — Mathématicien français.
3. Homme politique français né en 1912 — Qui fleurit dans la neige.
4. Surplus de marchandises — Social.
5. Exercer une action en justice.
6. Cadmium — Série de zigzags.
7. Khan — Veine — Radon.
8. Salut.
9. Moye — Transistor à effet de champ.
10. Grand perroquet d'Amérique du Sud — Mystère.
11. Fleuve côtier du sud de la France — Compositeur britannique mort en 1934.
12. Béante — Produit de dégradation des acides aminés de l'organisme — Germandrée à fleurs jaunes.

❑ Verticalement ❑

1. Fossé — Homme politique autrichien.
2. Ouverture donnant passage à l'eau — Symbole de l'unité de mesure décacoulomb — Ville de la Somme, en France.
3. Oiseau de mer — Instable.
4. Cinéaste italien né en 1922 — Voyelles.
5. Homme politique allemand — Ville de Guinée.
6. Tantale — Examiner soigneusement.
7. Béquille — Oiseau migrateur — Explication.
8. Nom de quatorze rois de Suède — Bastide.
9. Manifeste — Sodium.
10. Électronvolt — Roche constituée de coridon.
11. Metteur en scène de théâtre britannique — Restes.
12. Jumelles — Rivière des Alpes autrichiennes — Germanium.

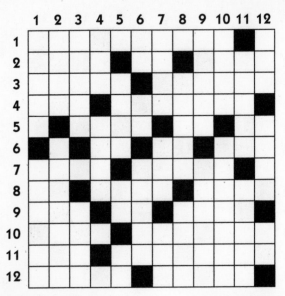

◻ Horizontalement ◻

1. Prodigieux.
2. Divisé en trois — Millilitre — Nom des deux frères qui ont enlevé Pierre Laporte en octobre 1970.
3. Île de la mer Égée — Fatuité.
4. Observatoire européen austral — La plus profonde des méninges.
5. Maréchal yougoslave — C'est-à-dire — Note.
6. Sélénium — Laize — Club de golf.
7. Poète grec de l'époque primitive — Acteur et metteur en scène de théâtre français.
8. Francium — Ville d'Algérie — Espar horizontal.
9. Flan aux raisins secs ou aux pruneaux — Consonnes jumelles — Ville d'Italie.
10. Averse abondante — Défaut.
11. Mois — Danse d'origine cubaine.
12. Comte de Paris, puis roi de France — Sac en peau pour conserver les liquides.

◻ Verticalement ◻

1. Peintre néerlandais né en 1626 — Avide.
2. Aurochs — Buffle d'Asie.
3. Homme politique français — Incursion.
4. Orientation — Lac d'Italie.
5. Affluent de la Seine — Radon — Hassium.
6. Thulium — Vache mythique — Orchidée.
7. Algue verte marine — Plante textile — Peuple noir du Nigeria oriental.
8. Écrivain suisse d'expression française — Fils d'Isaac et de Rébecca.
9. Ville de la Mayenne, en France — Distrait.
10. Muscardin — Oindre.
11. Quart d'une corde de bois — Structure du vers moderne.
12. Saint-pierre — Gaélique — Voyelles.

	1	2	3	4	5	6	7	8	9	10	11	12
1												
2												
3												
4												
5												
6												
7												
8												
9												
10												
11												
12												

❏ Horizontalement ❏

1. Chiffonnier — Stéradian.
2. États-Unis — Protection divine (au Maghreb).
3. Bande de fer — Ville de Hongrie — Radium.
4. Port du Brésil — Deuxième fils de Noé.
5. Actinium — Poisson fusiforme.
6. Interjection qui exprime un bruit de chute — Jumelles — Garçon d'écurie.
7. Ville du Japon — Restes — Rivière des Alpes du Nord.
8. Superlatif — Saint-pierre.
9. Manche, au tennis — Renforcé de métal.
10. Soulèvement inflammatoire de l'épiderme.
11. Interprète de Marc Daneau dans *La galère* — Limite.
12. Ville de la Charente-Maritime, en France — Bourre de soie.

❏ Verticalement ❏

1. Banlieue de Vancouver — Forme d'art.
2. Père d'Ésaü — Champion — Roi stupide et cruel.
3. Prouesse — Pointer.
4. Mammifère ruminant qui vit dans la cordillère des Andes — Modelé.
5. Livre — Interprète de Sylvain Dorais dans *Les poupées russes*.
6. Élégant, distingué — Sélénium — Lanthane.
7. Retraite — Sédiment organique.
8. Vassal n'ayant pas reçu de fief — Interjection.
9. Lieu fortifié, en Afrique du Nord — Manganèse.
10. La sienne — Conifère — Cæsium.
11. Rivière de Suisse — Petit singe.
12. Relatif aux marais — Apostille.

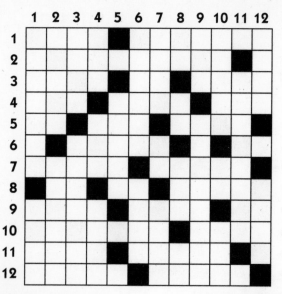

◻ Horizontalement ◻

1. Maréchal yougoslave — Élément ajouté, apport.
2. Métaux.
3. Lézard à pattes très courtes — Drame japonais — Dévidoir qui sert à tirer la soie des cocons.
4. Dynastie chinoise — Ville de l'Isère, en France — Interjection.
5. Préposition — Inventeur du saxophone — Écoinçon.
6. Groupe de discussion — Gray.
7. Torrent des Alpes du Sud — Effet rétrograde, au billard.
8. Indique la présence d'une fonction alcool — À lui — Peuple d'Amérique centrale.
9. Grande salle d'une université — Petite brosse en soies de porc — Deux en chiffres romains.
10. Godailler — Drelin.
11. Ria — Violoniste russe naturalisé américain né en 1920.
12. Amas chaotique de glace — Existant.

◻ Verticalement ◻

1. Liteau — Officiers de la cour du Sultan.
2. Occlusion intestinale — Impureté.
3. Langue indienne parlée au Brésil — Cacher.
4. Organisation mondiale de la Santé — Économiste français né en 1767 — Ville de l'Inde.
5. Âmes des morts, dans la religion romaine.
6. Addenda — Dieux guerriers de la mythologie scandinave.
7. Constellation de l'hémisphère boréal — Lawrencium — Ville de Grèce.
8. Lutécium — Scandium — Société nationale italienne des pétroles présente dans 70 pays — Électronvolt.
9. Un de ses albums s'intitule *Precious* — Polyèdre à huit faces.
10. Très — Rhésus — Rivière alpestre de l'Europe centrale.
11. Macareux.
12. Ville d'Italie — Mordant.

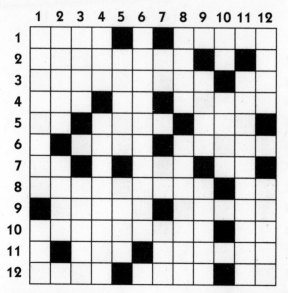

□ Horizontalement □

1. Femme d'Osiris — Matière textile.
2. Carnet de notes.
3. Recommander — Petit morceau cubique.
4. Prénom masculin — Cobalt — Cérat.
5. Tellure — Ornement — Autocar.
6. Unité monétaire des Samoa — Port de Tunisie.
7. Gallium — Rivière d'Alsace — Obtiens.
8. Mollusque marin — Silicium.
9. Rang de pieux fichés en terre pour former une digue — Il a popularisé *Faire la paix avec l'amour*.
10. Qui prodigue des approbations — Largeur d'une étoffe.
11. Compagnie de télécommunications américaine — Cheval.
12. Chaîne des Alpes françaises du Sud — Cri de dérision — Moi.

□ Verticalement □

1. Affection contagieuse de la peau — Grosse pilule.
2. Rivière d'Allemagne — Asple.
3. Ancienne monétaire du Pérou — Buse d'aérage.
4. Titre — Destinée.
5. Qui concerne le foyer d'un instrument d'optique — Premier batteur du groupe The Beatles.
6. Émoluments.
7. Ligue nationale — Peuple de l'île de Hainan — Onde.
8. Père de l'aviation — Très petit corps de forme sphérique.
9. Cap du Portugal — Dieu grec de la Mer.
10. Petit fleuve côtier du nord de la France — Poète italien né en 1883.
11. Capitale de la Tanzanie jusqu'en 1990.
12. Ville de l'Aude, en France — Impératrice d'Orient.

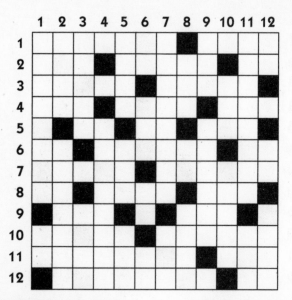

☐ **Horizontalement** ☐

1. Structure en forme d'épi — Spiritueux.
2. Monnaie japonaise — Capitale de la Mongolie — Brome.
3. Cinéaste américain mort en 1991 — Ville de Suisse.
4. Organisation des Nations Unies — Enjeu — Une des cyclades.
5. Travailleur social — Cube — Pour récupérer.
6. Interjection — Tache d'humidité sur du papier — Restes.
7. Désirer — Homme politique égyptien mort en 1981.
8. Erbium — Rivière d'Auvergne, en France — Légumineuse.
9. Il a chanté *Wild World* — Capucin.
10. Fleuve de l'Afrique équatoriale — Compagne.
11. Ange — Point cardinal.
12. Exiler — Pronom démonstratif.

☐ **Verticalement** ☐

1. Faux platane — Césium.
2. Chirurgien français mort en 1898 — Rouler à bras les wagonnets transportant le minerai au fond des mines.
3. Entrée — Rivière de Suisse.
4. Fantomatique.
5. Ombrée — Rage — Initiales d'une province maritime.
6. Lanthane — Parti politique — Rubidium — Mercure.
7. Appareil, chaudière — Île de l'Inde.
8. Grivois — Radium — Unité de mesure de puissance sonore subjective.
9. Prénom de l'acteur qui a reçu l'Oscar du meilleur acteur pour son rôle dans *Harry et Tonto*, en 1975 — Employé d'église.
10. École — Inculte.
11. Fruits à noyau lisse, à peau et à chair jaunes — Jamais.
12. Chrome — Sélénium — Cri de dérision.

Jeu 39

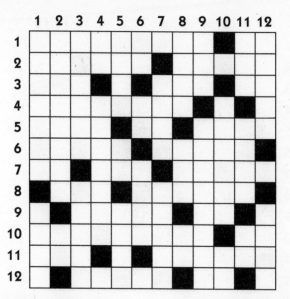

❑ Horizontalement ❑

1. Assurées — Samarium.
2. Rémission — Récipient peu profond.
3. Ville du Vietnam — Unité de mesure agraire — Lawrencium.
4. Intermezzo.
5. Mère d'Artémis et d'Apollon — Infinitif — Ville du Finistère, en France.
6. Département de la région Rhône-Alpes, en France — Grande antilope africaine.
7. Préposition — Ville de l'Iran — Combinaison pour les pilotes de chasse.
8. Onde — Fécule servant à empeser le linge.
9. Cinéaste canadien né au Québec en 1929 — Or.
10. Cassation — Cuivre.
11. Du verbe avoir — En Afrique du Nord, canal d'irrigation.
12. Homs — Restes.

❑ Verticalement ❑

1. Point de l'orbite d'un corps céleste où la distance de ce corps au Soleil est maximale — Homme politique autrichien.
2. Jeune femelle — Ancêtre de la bicyclette.
3. Ornement courant en ligne brisée — Revenu supplémentaire.
4. Diminutif d'Edward — Baleinoptère.
5. Cap du Portugal — Voyelles — Outil de sculpteur.
6. Manganèse — Démonstratif — Céréale.
7. Foyer — Ville de Belgique.
8. Fleuve d'Espagne — Poème — Écrivain japonais.
9. Classification pour l'huile — Danse populaire espagnole.
10. Ethnies africaines vivant au sud de l'équateur — Hassium.
11. Substance soluble dans l'eau — Dieu de la mythologie nordique — Curie.
12. Poisson de mer — Fleuve de la Chine centrale.

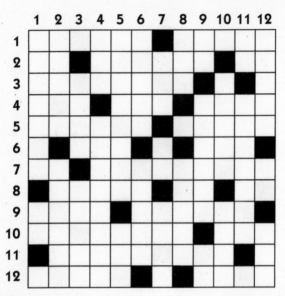

▢ Horizontalement ▢

1. Sport de combat nippon — Médaillée de bronze en plongeon, au tremplin de 3 m, en 1996.
2. Lanthane — Fabrication du fil métallique — Drame japonais.
3. Inflammation de la langue.
4. Suffixe — Initiales du premier ministre du Canada de 1968 à 1979 et de 1980 à 1984 — Apprêt qui rend les étoffes plus lustrées.
5. Dispositif à lettres et à chiffres — Action de soulever un corps à l'aide d'un levier.
6. Agence métropolitaine de transport — Verrue des bovins.
7. Samarium — Inverti.
8. Pénible — Pronom personnel — Quatre en chiffres romains.
9. Fort — Bouillon, potage.
10. Opération — Ainsi.
11. Relatif à une demande.
12. Homme politique tchécoslovaque — Général et homme politique espagnol.

▢ Verticalement ▢

1. Caractérisés par des sensations de froid — Tantale.
2. Ville d'Ukraine — Carrare.
3. Montagne de Grèce — Pastèque.
4. Ville du Calvados, en France — Action d'apprêter avec de l'empois.
5. Discuter — Amas.
6. Prêtre français né en 1608 — Vente rapide.
7. Société américaine de réseau téléphonique — Paul-Émile — Maréchal prussien mort en 1879.
8. Pièce maîtresse de la charrue — Fleuve de Géorgie.
9. Issu — Port d'Italie — Radium.
10. Refuge — Ville du Morbihan, en France.
11. Indium — Fragment de roche vitreuse.
12. Ancienne contrée de l'Asie Mineure — Électronvolt — Vedette de *La fureur de vaincre*.

Jeu 41

	1	2	3	4	5	6	7	8	9	10	11	12
1					■							
2						■		■				
3				■								■
4												
5			■		■		■					
6		■										■
7					■						■	
8	■											
9				■				■				
10												
11						■					■	
12				■								

❏ Horizontalement ❏

1. Pièce métallique permettant d'établir un contact, une connexion électrique — Sa capitale est Bridgetown.
2. Nicher — État de l'extrémité orientale de l'Arabie.
3. Ancien comté du Saint Empire, rattaché à la France — Mesure de capacité.
4. Quotient intellectuel — Reproductions asexuées.
5. Commun — Aluminium — Saint — À moi.
6. Ensemble des sépales d'une fleur — Confiant.
7. Ville du Japon — Bonne action — Radium.
8. Ville de Grande-Bretagne, dans les Midlands, sur la Rea.
9. Armée — Homme politique coréen.
10. Acquiescer — Lawrencium.
11. Étoffe de soie croisée — Impôt.
12. Dieux guerriers de la mythologie scandinave — Papillon diurne aux vives couleurs.

❏ Verticalement ❏

1. Valet de comédie — Montagne de Thessalie.
2. Calcaire dur — Gracie.
3. Médecin — Graphisme.
4. Port du Ghana — Rivière de Suisse — Partie d'un canal entre deux écluses.
5. Ancienne unité de mesure d'accélération — Physicien autrichien mort en 1916.
6. Peuple de la Guyane.
7. Frères artistes allemands — Levure responsable de mycoses et d'affections de la peau.
8. Sable mouvant — Sigle d'une ancienne formation politique québécoise.
9. Champignon — Huile bénite mêlée de baume.
10. Prophète biblique avant Jésus-Christ — Interjection — Einsteinium.
11. Il a popularisé *Tue-moi* — Fourrure de marmotte.
12. Préposition — Soldat français — Gaélique.

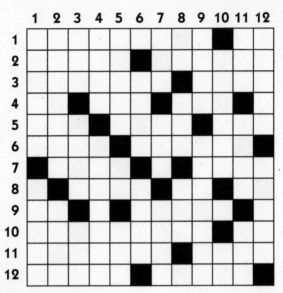

❏ Horizontalement ❏

1. Encombrant — Bande dessinée.
2. Variété de haricot africain — S'abaisser.
3. Cendre de charbon — Élément atomique du même groupe que l'aluminium.
4. Ultraviolets — Billot — Peintre cubain né en 1902.
5. Garçon d'écurie — Boëtte — Point.
6. Société nationale italienne d'électricité et plus important producteur d'énergie géothermique au monde — Mûrir par la chaleur d'août.
7. Alliage — Fortune.
8. Écrivain politique français — Petit cube — Pronom personnel.
9. Avant — Missionnaire protestant anglais né en 1604.
10. Arnaqueur — Carat.
11. Patronage — Fiel.
12. Dramaturge américain — Pénible.

❏ Verticalement ❏

1. Bandelette sacrée — Plante herbacée tropicale.
2. Libération bouddhiste du cycle des réincarnations — Rivière d'Afrique.
3. Organisme crée en 1945 — Plus loin que — Établissement public.
4. Service religieux — Courtisane.
5. Contrée balkanique de l'Europe ancienne — Prêtresse d'Héra, aimée de Zeus — Interjection.
6. Ancien Empire — Homme politique angolais né en 1922.
7. Médecin — Ville d'Allemagne — Fleuve de Sibérie.
8. Interjection — Unité monétaire roumaine — Île de l'Inde.
9. Fleuve du Kazakhstan — Grand luth.
10. Général et homme politique romain — Iridium.
11. Berceau — Plante à fleurs disposées sur un spadice — Explication.
12. Homme politique néerlandais mort en 1988 — Logé.

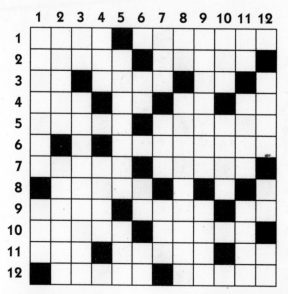

◻ Horizontalement ◻

1. Liqueur d'Orient — Résidu des tiges de canne à sucre.
2. Plongeon — Matière grasse.
3. Symbole du Territoire du Yukon — Comte de Paris, puis roi de France — Route rurale.
4. Interjection — Bonne action — Bradype — Ruthénium.
5. Nouveau — Divinité grecque.
6. Reculer.
7. Barre servant à fermer une porte — Animal minuscule.
8. Fenêtre faisant saillie.
9. Fleuve de France — Capitale des Samoa occidentales — Rhénium.
10. Conseiller municipal — Dramaturge américain.
11. Guise — Aplanir avec la doloire — Nanofarad.
12. Ville de la Mayenne, en France — Partir.

◻ Verticalement ◻

1. Mammifère disparu — Société de construction électrique allemande.
2. Vent violent — Terre desséchée et pulvérisée.
3. Kaon — Patriote exalté.
4. Emportement — Unité monétaire du Cambodge.
5. Ouvrier qui travaille en caisson, sous l'eau — Ville du sud-ouest du Nigeria.
6. Interjection — Lanthane — Écrivain japonais.
7. Résine extraite de la férule — Rivière des Alpes — Pièce honorable de l'écu.
8. Germanium — Amalgamer.
9. Loger — Asile.
10. Confiant — Maréchal prussien mort en 1879.
11. Samarium — Partie inférieure ou centrale d'une voûte — Courroie.
12. Regimber — Tellure — Francium.

	1	2	3	4	5	6	7	8	9	10	11	12
1												
2												
3												
4												
5												
6												
7												
8												
9												
10												
11												
12												

❏ Horizontalement ❏

1. Indo-européen — Sauf-conduit.
2. Voyelles — Plante herbacée.
3. Ville de Yougoslavie — Appareil de levage.
4. Ville du Nigeria oriental — Tour — Petit socle.
5. Hectare — Capsule.
6. Coiffure masculine orientale — Bradype.
7. Article étranger — Ville de la Marne, en France.
8. Peintre et théoricien italien mort en 1966 — Oiseau.
9. Démêlage — Bastide.
10. Caractérisé par des sensations de froid — Note — Argon.
11. Chanteuse qui a popularisé *J'ai douze ans* — Embargo.
12. Crochet — Saint-pierre — Souverain vassal du sultan.

❏ Verticalement ❏

1. Kiosque à journaux — Genévrier du midi de la France.
2. Maréchal prussien mort en 1879 — Solutions ammoniacales.
3. Rivière d'Allemagne — Acarien, parasite extérieur des volailles.
4. Europium — Tissu.
5. Plutonium — Bar.
6. Lanthane — Nettoyage.
7. Qui a la consistance d'une bouillie — Sélénium.
8. Circonscription administrative, en Grèce — Classification pour l'huile.
9. Sigle d'une ancienne formation politique québécoise — Ville du Nord, en France — 1002 en chiffres romains.
10. Manganèse — Règle de dessinateur — Ville de Belgique — Antimoine.
11. Métaldéhyde — Prophète juif.
12. Étain — Fureur — Chimiste et médecin français mort en 1645.

Jeu 45

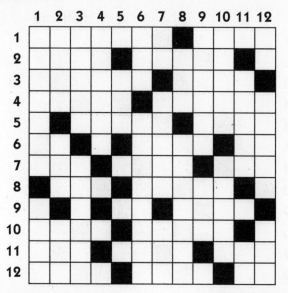

▢ Horizontalement ▢

1. Substance liquide qui dissout d'autres substances — Ville d'Angleterre.
2. Produit de dégradation des acides aminés de l'organisme — Obstruction de l'intestin.
3. Ville hôte des Jeux olympiques d'été en 1936 — Tablette de métaldéhyde.
4. Conseil souverain de la Rome antique — Liliacée bulbeuse à grande et belle fleur.
5. Poire utilisée pour déboucher le conduit auditif — Femme politique française née en 1927.
6. Interjection — Spart — Que l'on doit.
7. Observatoire européen austral — Goût morbide pour des substances non comestibles — Réseau express régional.
8. Agence de presse française — Escorte.
9. Chrome — Bassin.
10. Dieu de l'ancienne Égypte — Instrument chirurgical.
11. Étendue d'eau — Petit colombier — Situé.
12. Ville du Gard, en France — Clairsemé — Issu.

▢ Verticalement ▢

1. Allocation — Unité monétaire des Samoa.
2. Bord — Roi de Juda — Pièce honorable de l'écu.
3. Marais du Péloponnèse — Charge.
4. Chêne à feuilles oblongues.
5. Suffixe.
6. Femme de lettres américaine — Pauvreté.
7. Thallium — Ville du Chili central — Partie aval d'une vallée.
8. Ébranlé — Binard.
9. Port d'Espagne — Fleuve de Russie long d'environ 1950 km.
10. Station balnéaire de la Rome antique — Procès-verbal de conventions entre deux puissances.
11. Le bourdon en est un — Indium.
12. Europium — Ellore — Enzyme.

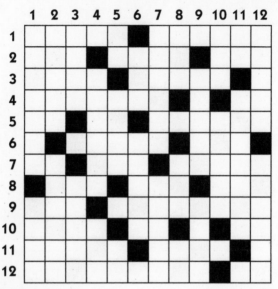

Jeu 46

◻ Horizontalement ◻

1. Cinéaste français mort en 1995 — Chlorure naturel de sodium.
2. Officier de la cour du sultan — Style d'improvisation vocale — Agence métropolitaine de transport.
3. Canne faite d'une tige de rotang — Roi de Bavière né en 1848.
4. Mousseline raidie par un apprêt — Curie.
5. Radium — Pascal — Ville de l'Isère, en France.
6. Ville du Loir-et-Cher, en France — Préjudice, châtiment.
7. Rutherfordium — Bruit sec — Ville d'Ille-et-Vilaine, en France.
8. Pièce maîtresse de la charrue — Poème — Perroquet.
9. Filament fin — Seigneur d'un fief qui arborait une bannière.
10. Vieux registre du Parlement de Paris — Tellure — Stéradian.
11. Ville de la Loire-Atlantique, en France — Boudin.
12. Arroche — Préposition.

◻ Verticalement ◻

1. Gonfler — Baseballeur qui a frappé 4191 coups sûrs en carrière.
2. Grande place avec boutiques — Cassure.
3. Cinéaste autrichien mort en 1976 — Qui appartient à la névroglie.
4. Chavire — Petite massue.
5. Einsteinium — Ville du Japon — Sodium.
6. Cap dans le Massachusetts — Miroitement.
7. Prématurée — Point culminant des Pyrénées.
8. Société américaine de réseau téléphonique — Sigle d'une ancienne formation politique québécoise — Parti politique.
9. Glucide hydrolysable — Lagune d'Australie.
10. Prénom de l'auteur qui a créé James Bond — Cinémomètre.
11. Thulium — État de l'océan Indien.
12. Ville de la Meuse, en France — Carbonate naturel de sodium hydraté.

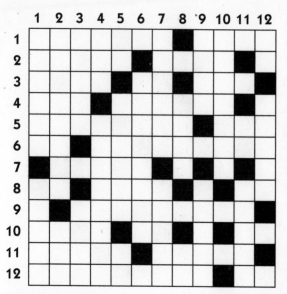

❏ Horizontalement ❏

1. Dur — Orifice naturel creusé par les eaux d'infiltration.
2. Ville d'Allemagne — Cinéaste italien né en 1922.
3. Rivière d'Auvergne — Plomb — Ville de Grande-Bretagne.
4. Elle a repris le succès *Laisse-moi t'aimer* — Adjuration.
5. Grande toile formant une tente amovible — Négation.
6. Lien — Ébranlement soudain et violent.
7. Très exactement.
8. Petit cube — Rivière de France, affluent du Doubs — Bradype.
9. Melon à côtes rugueuses.
10. Femme de lettres française — Préposition — Palladium.
11. Dévidoir des cordiers — Poire à deux valves.
12. Pessimiste — Règle de dessinateur.

❏ Verticalement ❏

1. Chicon — Capitale du Bangladesh.
2. Papillon nocturne ou crépusculaire — Plat indien.
3. Fleuve de Russie — Elle a fait connaître *Flashdance... What A Feeling*.
4. Baie des côtes de Honshu — Rappeler.
5. Police militaire de l'Allemagne nazie — Particule constitutive du noyau d'un atome — Thulium.
6. Prééminence.
7. Métal terreux — Général et homme politique portugais.
8. Oiseau ratite d'Australie — Symbole de l'unité de mesure nit.
9. Tribu israélite établie en haute Galilée — Plante grimpante à grandes fleurs bleues.
10. Saleté.
11. Lac des Pyrénées — Esche.
12. Néodyme — Nostalgie.

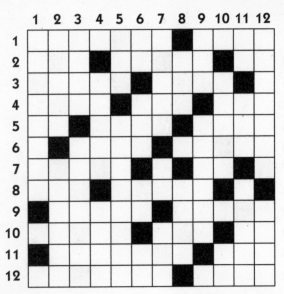

❑ Horizontalement ❑

1. Laitue — Eau-de-vie.
2. Femme de lettres américaine — Auteur dramatique danois — Bradype.
3. Ville d'Allemagne — Sujet non musulman de l'Empire ottoman.
4. Mammifère d'Amérique tropicale — Unité de mesure des radiations absorbées par un corps vivant — Autocar.
5. Molybdène — Acteur français né en 1880 — Président de l'Albanie élu en 2007.
6. Cassier — Fruit de la ronce.
7. Médecin français né en 1774 — Note.
8. Pianiste français né en 1890 — Ville d'Allemagne.
9. Durer — Ville hôte des Jeux olympiques d'été en 1988.
10. Prénom du rôle joué par Michel Barrette dans *Km/h* — Début d'espace — Curie.
11. Histoire — Point.
12. Carnaval qui a lieu au pied des Pyrénées — Homme misérable.

❑ Verticalement ❑

1. Impitoyable.
2. Homme politique italien né en 1903 — Parsemé de petites taches.
3. Ville d'Italie — Lustrer.
4. Compositeur français — Ville de l'Espagne, dans la province de Pontevedra.
5. Onde — Romancier danois (1869-1954).
6. Rubidium — Ville de la Somme, en France — Sélénium — Nanocoulomb.
7. Conduire — Apostille — Ville du sud-ouest du Nigeria.
8. Peintre cubain né en 1902 — Crochet double.
9. Gendre de Mahomet — Rutabaga.
10. Roseau aromatique — Paul-Émile.
11. Rivière de France — Point culminant des Philippines — Fleuve d'Espagne.
12. Pierre semi-précieuse — Sable mouvant.

Jeu 49

	1	2	3	4	5	6	7	8	9	10	11	12
1												
2												
3												
4												
5												
6												
7												
8												
9												
10												
11												
12												

❑ Horizontalement ❑

1. Dépôt résultant d'une précipitation
   — Césium.
2. Ville de Belgique — Tellement.
3. Point — Action d'étendre en versant.
4. Évêque de Noyon — Voyelles —
   Ville du sud-est du Nigeria.
5. Peuple de la Sierra Leone — Adjectif
   démonstratif — Magnésium.
6. Travailleur social — Partie du corps
   de l'homme — Sisymbre officinal.
7. Engraissement du bétail dans les prés.
8. Mathématicien suisse né en 1707
   — Neptunium — Arsenic.
9. Tellure — Huitante.
10. Plante vénéneuse — Argon — Jumelles.
11. Ville du Québec.
12. Rivière de France — Historien d'art
    français mort en 1954 — Germanium.

❑ Verticalement ❑

1. Tâte-vin — Physionomie.
2. Pragmatisme — Centre hospitalier
   universitaire.
3. Ville de Grande-Bretagne — Couteau
   à racler le cuir.
4. Cérium — Apathie.
5. Fureur — Peuple du Ghana — Aimée
   de Zeus.
6. Paul-Émile — Bourse.
7. Père de Jacob — Métal argenté
   très dense (symbole).
8. Billot — Panka.
9. Quantième — Ville d'Italie.
10. Père — Lanthane.
11. Navigateur portugais né en 1469
    — Compagnie de télécommunications
    américaine.
12. Classification pour l'huile — Jeune fille
    de condition modeste.

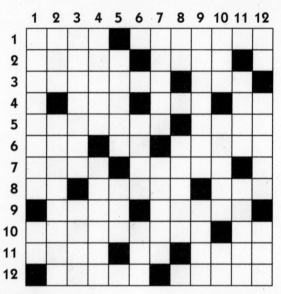

□ Horizontalement □

1. Chaîne de montagnes de France — Paisseau.
2. Personnage représenté en prière — Ville de Finlande.
3. Fil enduit de poix utilisé par les cordonniers et les bourreliers — Argile rouge ou jaune.
4. Intonation — Première épouse de Jacob — Ancienne ville de la Basse Mésopotamie.
5. Vêtement porté sur la toge — Ville de Guinée.
6. Fils aîné de Noé — À lui — Ville de Suisse.
7. Port d'Égypte — Vedette masculine de *L'éducation de Rita*.
8. Début d'école — Compositeur français né en 1890 — Nouveau.
9. Cri d'appel à l'aide — Capitale de l'Oregon.
10. Alcaloïde extrait du peyotl — Diminutif d'Edward.
11. Vivacité — Indium — Cinéaste italien né en 1916.
12. Ville de la Mayenne, en France — Dieu grec de la Mer.

□ Verticalement □

1. Grâce — Symbole du Manitoba.
2. Canton de Suisse centrale — Pécaïre.
3. Musique syncopée et rapide — Ancien émirat de l'Arabie.
4. Ville des Alpes-de-Haute-Provence, en France — Pierre qui ressemble au diamant.
5. Île grecque des Cyclades — Anaconda.
6. Ville de l'Orne, en France — Résidu.
7. Ville d'Allemagne — Endommagé par le feu.
8. Hassium — Milieu, centre.
9. Fils de David — Ville du Cher, en France.
10. Statut — Étendue sableuse — Iridium.
11. Peuple du Zaïre — Homs.
12. Stibium — Effet rétrograde, au billard — Ville de la Drôme, en France.

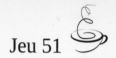

Jeu 51

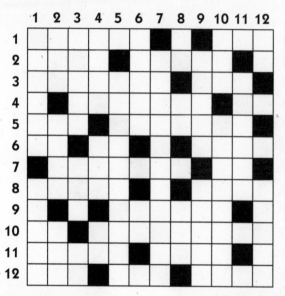

	1	2	3	4	5	6	7	8	9	10	11	12
1												
2												
3												
4												
5												
6												
7												
8												
9												
10												
11												
12												

◻ Horizontalement ◻

1. Déformé — Société américaine de réseau téléphonique.
2. Elle a popularisé *Fame* — Titre donné dans l'Inde musulmane aux grands dignitaires.
3. Confus — Vaccin contre la typhoïde.
4. Fabrication d'un cordage — Fleuve de France.
5. Avancera — Débourrer.
6. Direction sur une carte — Bradype — Oiseau ratite d'Australie.
7. Archet — Plutonium.
8. Rivière de Colombie — Opéra de Verdi.
9. Thyratron.
10. Béryllium — Nez.
11. Point culminant des Pyrénées — Neuvième heure du jour.
12. Partie d'un canal entre deux écluses — Ville de Serbie — Fort.

◻ Verticalement ◻

1. Partisans de — Couffin.
2. Pièce qui supporte une voûte en construction — Cap du Portugal — École des élites.
3. Port du Chili septentrional — Marque le doute — Einsteinium.
4. Ville de Galilée — Rivière des Alpes — Platine.
5. Dessaisissement.
6. Plante à fleurs jaunes — Rutherfordium.
7. Acclimatations.
8. Bande de fréquences publique — Soldat américain — Rivière de l'Éthiopie.
9. Singe-araignée — Entaille oblique destinée à l'assemblage.
10. Roi de Hongrie — Chevaucher.
11. Lutte sans illusion.
12. Tangente — Blessants.

	1	2	3	4	5	6	7	8	9	10	11	12
1							■					■
2						■					■	
3				■								
4		■										
5			■				■					
6									■			
7												■
8					■				■			
9		■								■		
10	■				■							
11			■					■				
12						■			■			

❏ Horizontalement ❏

1. Phare — Plante vivace.
2. Prince troyen — Rivière d'Auvergne, en France — Argon.
3. Commun — Jeu de lettres qui comprend seize dés à six faces.
4. Vedette féminine de *L'impact* — Point.
5. Lumen — Transmuter — Averti.
6. Monstre femelle à queue de serpent — Autorité absolue.
7. Poissons marins — Fais mon nid.
8. Ville d'Espagne — Prêt à agir — Argent.
9. Unité de mesure de masse valant 0,2 gramme — Ville de Guinée.
10. Ville de Nouvelle-Calédonie — Tour — Rivière d'Alsace.
11. Gaélique — Officiellement reconnu.
12. Dieu grec de la Mer — Saint-pierre — Strontium.

❏ Verticalement ❏

1. Ensemble de branches avec leurs feuilles — Préposition.
2. Ville de Belgique — Historien d'art français mort en 1954.
3. Physicien français — Nettoyer.
4. Afrique équatoriale — Agent.
5. Secours de dernière minute — Fleur au cœur du festival célébré à Chédigny.
6. Mollusque gastéropode — Ville de Belgique.
7. Ère de l'Islam — Compagnie de télécommunications américaine.
8. Escourgeon — Extrémité méridionale du plateau brésilien — Ancien premier ministre de l'Ontario.
9. Substance soluble dans l'eau — Festival de jeux qui a lieu à Essen, en Allemagne — Germanium.
10. Qualité du papier — Façon.
11. Petit fleuve côtier du nord de la France — Suaves.
12. Vide — Droguer.

Jeu 53

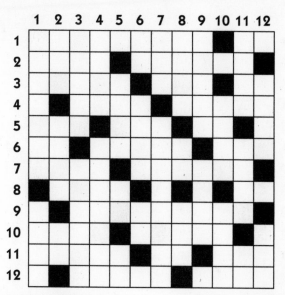

◻ Horizontalement ◻

1. Recueil d'archéologie — Ville de la Marne, en France.
2. Vallée des Pyrénées centrales — Manteau porté sur l'armure, au Moyen Âge.
3. Rivière d'Allemagne — Grand arbre de l'Inde — Aux limites de la nuit.
4. Vent d'ouest dans le bas Languedoc — S'enfuir.
5. Urus — Poisson — Adjectif possessif.
6. Interjection — Conduire — Réseau des sports.
7. Interprète de Nick Berrof dans *19-2* — Édulcoré.
8. Groupe ethnique islamisé — Parti politique.
9. Homme opulent.
10. Ouverture donnant passage à l'eau — Assemblage à l'aide d'entailles.
11. Roi des Bretons — Radium — Massif montagneux du Sahara méridional.
12. Général vendéen — Dominicain belge, prix Nobel de la paix 1958.

◻ Verticalement ◻

1. Saupoudrer — Homme politique autrichien.
2. Ville du Vietnam — Épouse de Cronos — Brome.
3. Ville d'Italie — Précieux, sophistiqué.
4. Laxatif extrait du cassier — Plante bulbeuse.
5. De Haute-Écosse — Radon — Antimoine.
6. Note — Personnage biblique, épouse d'Abraham — Petit fleuve côtier du nord de la France.
7. Chef éthiopien — Refaire.
8. Versant d'une montagne exposé au nord — Rutherfordium — Organisme crée en 1945.
9. Physicien pakistanais, prix Nobel en 1979 — Économiste égyptien né en 1931.
10. Graminée aromatique — Câble qui maintient un mât.
11. Étroitement collé — Célèbre couturier — Iridium.
12. Fort — Emportement.

Jeu 54

	1	2	3	4	5	6	7	8	9	10	11	12
1										■		
2				■								
3					■							
4						■						
5		■			■					■		■
6	■											
7			■									
8					■							
9		■						■				
10						■					■	
11				■								■
12					■							

❑ Horizontalement ❑

1. Chargée de l'approvisionnement — Petit cube.
2. Fleuve côtier de la Vendée — Affluent du Mississipi.
3. Poids — Vêtement renversé.
4. Nouveau — Homme politique égyptien mort en 1981.
5. Praséodyme — Laize.
6. Discrédit — Grivois.
7. Grade — Calcaire.
8. Rongeur — Port de la Corée du Sud — Jumelles.
9. Instruments de musique à quatre cordes et à archet — Vitesse acquise d'un navire.
10. Rang de pieux fichés en terre pour former une digue — Aluminium — Rivière de France.
11. Dialecte de langue d'oïl de la Picardie — Paresseux — Lettre grecque.
12. Frère de Jacob — Ville d'Italie.

❑ Verticalement ❑

1. Affluent du Tibre — Influenza.
2. Ville de la région Basse-Normandie, en France — Fleuve d'Afrique — Longue pièce de bois.
3. Arbrisseau méditerranéen — Ville du Chili.
4. Tirailleur algérien — Ville de Belgique.
5. Tantale — Diriger selon un itinéraire précis.
6. Lentille — Auteur dramatique britannique né en 1693 — Impayé.
7. Édit promulgué par le tsar — Peuple de Djibouti et de la Somalie.
8. Poète italien né en 1883 — Lettre grecque — Poème.
9. Préposition — Garou — Indium.
10. Ville de Belgique — Id est — Radium.
11. Interjection — Unité de mesure thermique — Divisé en trois.
12. Ville d'Italie — Rompu.

Jeu 55

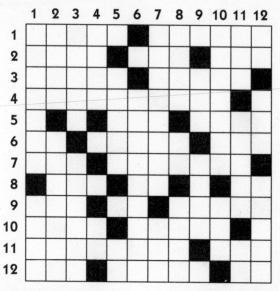

◘ Horizontalement ◘

1. Sérail — Incorrect.
2. Ville de la Russie — Planchette de bois — Ville de la Somme, en France.
3. Graisse sous la peau du porc — Lagune.
4. Intervenir.
5. Personne avare — Palissade de bois.
6. Symbole de l'Alberta — Caillé — Camelote.
7. Peintre cubain né en 1902 — Niveler, en parlant de la surface d'un sol.
8. Golfe des Bouches-du-Rhône, en France — Cérium — Indique la présence d'une fonction alcool.
9. Ensemble des puissances éternelles émanées de l'Être suprême — Vache mythique — Rivière de l'est de la France.
10. Théorbe — Humaniste flamand né en 1547.
11. Avitaminose — Partie d'un hectare.
12. Période historique — Étendue sableuse — Cité ancienne de la Basse Mésopotamie.

◘ Verticalement ◘

1. Établissement public — Fleuve de la République tchèque et d'Allemagne.
2. Vallée des Pyrénées espagnoles — Tourner en dérision.
3. Revenu périodique d'un bien — Apparat.
4. Ville de France — Interjection.
5. Se tromper — Bonne action.
6. Exécuter une succession de voltes et de demi-voltes à droite et à gauche.
7. État des filets d'une vis — Furie.
8. Lac de Syrie — Chrome — Moment cinétique intrinsèque d'une particule.
9. Congélation des eaux — Architecte espagnol prénommé Enrique.
10. Silicate naturel de thorium — Organisation des États américains.
11. Prénom de l'auteur qui a créé James Bond — Groupe d'habitations ouvrières — Ruthénium.
12. Fermium — Unité de mesure thermique — Endommager.

Jeu 56

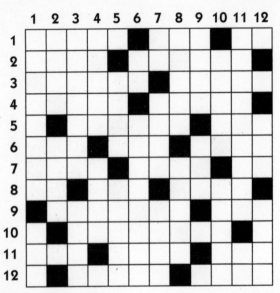

◻ **Horizontalement** ◻

1. Rivière de Normandie — Organisation armée secrète — Antimoine.
2. Fils d'Isaac — Tranchefile de relieur.
3. Homme politique brésilien mort en 1954 — Cétone de la racine d'iris.
4. Fenêtre faisant saillie — Naturel.
5. Scion — Cap dans le Massachusetts.
6. Roi stupide et cruel — Possessif — Petit puma de l'Amérique du Sud.
7. Ville d'Italie — Fleuve de Géorgie — Livre.
8. Début de roman — Unité de mesure thermique — Partie plate d'un aviron.
9. Maladie épidémique contagieuse — Bière blonde.
10. Recouvrir de gravier.
11. Planchette de bois — Opéra de Verdi — Ignoble.
12. Rivière d'Allemagne — Rivière d'Auvergne, en France.

◻ **Verticalement** ◻

1. Casser — Symbole de l'unité de mesure décacoulomb.
2. Rivière du sud-ouest de l'Allemagne — Prison.
3. Petit mammifère à longue queue prenante — Homme politique allemand.
4. Pistolet automatique de 9 mm — Ville de Grande-Bretagne.
5. Ville du Gard, en France — Compositeur britannique mort en 1934.
6. Césium — Serre chaude pour le forçage.
7. Petit lac des Pyrénées — Ancien territoire espagnol, rétrocédé au Maroc en 1969 — Bar.
8. Aminoacide — Ville de la République tchèque.
9. Personne dépendant d'un seigneur — École.
10. Ville de l'Yonne, en France — Fantôme malfaisant.
11. Relatif aux sens — Iridium.
12. Père — Général français né en 1758.

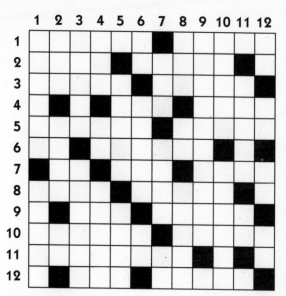

◻ **Horizontalement** ◻

1. Basketteur qui fut l'âme des Celtics de Boston de 1956 à 1969 — Cinéaste français mort en 1995.
2. Ouverture donnant passage à l'eau — Mesure espagnole de poids.
3. Couche profonde de la peau — Ville des Pays-Bas.
4. Préposition signifiant «à côté de» — Fort.
5. Accumulation excessive d'urée dans le sang — Rivière de France.
6. Prénom de l'actrice Derek — Ampoule.
7. Californium — Élue du calendrier — Prince musulman.
8. Elle a popularisé *Fame* — Rivière de la Guyane française.
9. Rivière des Alpes — Chapelle.
10. Tumeur — Trop fardé.
11. Roche volcanique.
12. Ville de Grande-Bretagne — Multitude.

◻ **Verticalement** ◻

1. Réparation faite à la coque d'un navire — Couffin.
2. Port du Japon — Cap du Portugal — Parti politique.
3. Ébranchoir — Tromperie.
4. Fils aîné de Noé — Nombre romain — Coopérative, dans l'ancienne Russie.
5. Sociologue allemand mort en 1990 — Enveloppe destinée à conserver la chaleur d'une théière.
6. Lanthane — L'ancienne Estonie — Conjonction.
7. Courant marin — Sagesse — Tantale.
8. Transistor à effet de champ — Paresseux — Ville de Belgique.
9. Jeûne.
10. Ville du Nord, en France — Relâché.
11. Homme politique italien mort en 1980 — Préposition.
12. Europium — Sélénium — Radium — Thallium.

	1	2	3	4	5	6	7	8	9	10	11	12
1												
2												
3												
4												
5												
6												
7												
8												
9												
10												
11												
12												

❏ Horizontalement ❏

1. Enduit imitant le marbre — Bandeau.
2. Urus — Ville de la Charente-Maritime, en France — Fleuve de la Provence orientale.
3. Montagne de l'ouest de la Bulgarie — Sélénium — Drame japonais.
4. Taches congénitales sur la peau — Ville de Galilée.
5. Aluminium — Prescrire.
6. African National Congress — Classification pour l'huile.
7. Désigné par élection — Contrat — Monseigneur.
8. Montagne de Suisse — Sable mouvant — Fleuve de France.
9. Pièce de monnaie ayant cours aux Pays-Bas — Jeune noble.
10. Puits vertical — Symbole de Terre-Neuve-et-Labrador.
11. Acide sulfurique fumant — Étoile.
12. Subsister — Radium.

❏ Verticalement ❏

1. Se maintenir — Style de jazz, né à New York.
2. Motocross — Petite languette d'un végétal.
3. Branche de l'Oubangui — Conjecturer.
4. Igue — Obstruction de l'intestin.
5. Ancien Empire — À moitié.
6. Il a popularisé *La complainte de La Manic* — But que l'on vise.
7. Indium — Grande étendue de terre.
8. Très — Einsteinium — Ancien premier ministre de l'Ontario.
9. Rivière des Alpes autrichiennes — Qualité du papier.
10. Électronvolt — Femme de lettres française.
11. Larve du hanneton — Réintégrer.
12. Ville du sud de l'Inde — Type illuminé qui dirige une secte.

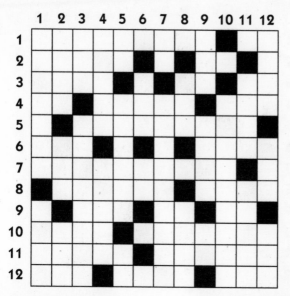

❏ Horizontalement ❏

1. Écueil — Commandement.
2. Nouveau — Paresseux.
3. Pharaon — Entrée de spa — Molybdène.
4. Tellure — Plante herbacée tropicale — Ville des Pyrénées-Atlantiques, en France.
5. Éculé.
6. Abréviation de route — Compositeur français mort en 1892.
7. Examiner attentivement.
8. Association de groupements en vue d'une action commune — Décision volontaire après délibération.
9. Partie d'une voile destinée à être serrée — Erbium — Lawrencium.
10. Ville de Suisse — Prouver.
11. Auteur dramatique danois — Thyratron.
12. Autocar — Ouverture donnant passage à l'eau — Pâté impérial.

❏ Verticalement ❏

1. Coureur — Ombrée.
2. Prince légendaire troyen — Unité de mesure thermique — Roi de Hongrie.
3. Maladie cryptogamique des plantes — Divaguer.
4. Longueur d'un fil de la trame — Ouvrage vitré en surplomb.
5. Deux en chiffres romains — Bâtis servant à pointer un canon — Lanthane.
6. Groupe qui a popularisé *Proud Mary* — C'est-à-dire.
7. Indium — Partie de l'estomac des ruminants.
8. Capucin — Clairsemé.
9. Élégant, distingué — Explication — Ancêtre de la bicyclette.
10. Petit réchaud suspendu à l'avant d'un bateau.
11. Marteau — Inculte.
12. Ville des Landes, en France — Armée — Un centième de sievert.

Jeu 60

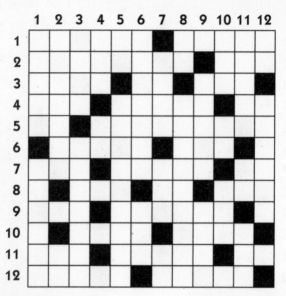

◻ Horizontalement ◻

1. Bec-d'âne — Capitale du Bangladesh.
2. Impossible — Statut.
3. Peuple de l'Inde — Ancienne ville de la Basse Mésopotamie — Numéro d'identification personnel.
4. Port du Japon — Chien sauvage d'Australie — Avant.
5. Article étranger — Emphase.
6. Opalescent — Atoll.
7. Préfixe qui signifie « favorable à » — Contraction de syllabes — Note.
8. Confiant — École d'administration — Aluminium.
9. Ville de la Somme, en France — Pareils.
10. Montagne des Alpes occidentales — Chanson populaire.
11. Première épouse de Jacob — Aunée — Iridium.
12. Ancienne contrée de l'Asie Mineure — Mat.

◻ Verticalement ◻

1. Ville de la Dordogne, en France — Papillon.
2. Fonder — Aimée de Zeus.
3. Rivière d'Auvergne — Pomme de terre à peau rose.
4. Point culminant des Philippines — Interjection exprimant le rire.
5. Négation — Mauvaise constitution.
6. Avitailler — Peuple du sud du Bénin.
7. Vase — Afrique-Équatoriale française — Note.
8. Petit cube — Manque d'éclat.
9. Généreux — Disconvenir.
10. Gendre de Mahomet — Écrivain japonais — Enzyme.
11. Résine fournie par des arbres tropicaux — Décilitre — Ville de la Drôme, en France.
12. Paresseux — Ville de la Haute-Saône, en France.

Jeu 61

◻ Horizontalement ◻

1. Contrée balkanique de l'Europe ancienne — Sculpteur français — Colombium.
2. Ville du Gard, en France — European Space Agency — Plat indien.
3. Outil placé à l'extrémité d'une tige de forage — Pronom personnel.
4. Transfuser — Économiste égyptien né en 1931.
5. Aluminium — Cadmium — Parti politique.
6. Regimber — Polonium — Ligue Nationale d'Improvisation.
7. Mélange mou et gluant — Arbuste de la famille des magnoliacées.
8. Ville du Morbihan, en France — Aire de vent.
9. Millilitre — Organe de l'abdomen, du thorax.
10. Petit bouclier en forme de croissant — Sélénium.
11. Ville de Bulgarie — Blasphème.
12. Affluent de la Loire — Einsteinium — Petit socle.

◻ Verticalement ◻

1. Tégument de la noix de muscade — Tonnelle couverte d'une vigne grimpante.
2. Poussée — Manœuvre qui pousse des chariots.
3. Biner — Hallucinogène.
4. Poète français — Élever à un haut degré de perfection.
5. Souverain.
6. Ville du Morbihan, en France.
7. Ancien émirat de l'Arabie — Christianisme.
8. Ancien premier ministre de l'Ontario — Cap dans le Massachusetts — Lézard à pattes très courtes.
9. Ancienne unité de dose absorbée de rayonnements — Incorporé.
10. Faucon.
11. Débarder — Tellure.
12. Poisson d'eau douce — Prince troyen.

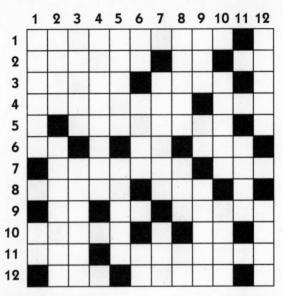

◻ Horizontalement ◻

1. Encouragement.
2. Instrument agricole — Aperçu — Germanium.
3. Ponctuellement — Interjection.
4. Corrupteur — Rivière de l'Europe centrale.
5. Dithyrambique.
6. Rayon — École d'administration — Bruit sec.
7. Rompu — Financier écossais né en 1671.
8. Doctrine religieuse ésotérique — Partie du corps de l'homme.
9. Pronom personnel — Sélénium — Prière musulmane.
10. Unité de mesure de masse valant 0,2 gramme — Bonne action.
11. Diminutif de Timothy — Intéresser.
12. Monnaies roumaines — Couffin.

◻ Verticalement ◻

1. Il a popularisé *Les divorcés* — Carat.
2. Produit de dégradation des acides aminés de l'organisme — Battant.
3. Barre avec laquelle on ferme une porte — Dermatose.
4. Ensemble des substances élaborées par l'ovocyte qui serviront à la nourriture du germe.
5. Muse de la poésie lyrique — L'ancienne Estonie.
6. De naissance — Ville de Hongrie — Nombre romain.
7. Discordant — Ville de Belgique.
8. Ville d'Italie — Île de la mer Égée — Fleuve de Russie.
9. Organisation de l'unité africaine — Note — Citoyen juif d'Israël.
10. Relatif à la hanche — Unité monétaire principale de la Lettonie.
11. Ville de Galilée.
12. Dieu grec de la Mer — Rivière du sud de la France.

Jeu 63

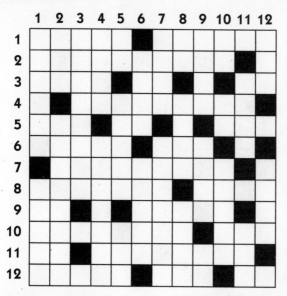

❏ Horizontalement ❏

1. Fleuve d'Italie — Fils d'Abraham.
2. Amertumes.
3. Marteau — Richesse — Règle de dessinateur.
4. Folâtrer.
5. Éculé — Astate — Dynastie impériale chinoise.
6. Arbuste ornemental — Rongeur.
7. Affaiblir.
8. Plante herbacée ornementale — Guide.
9. Infinitif — Milieu, centre.
10. Liant — Organisation armée secrète.
11. Préposition — Amer.
12. Rivière de Suisse — Désigné par élection — Philosophe français né en 1900.

❏ Verticalement ❏

1. Langue dravidienne — Estimer.
2. Ville du Pérou — Fer spathique.
3. Gaufre très mince et croustillante.
4. Montagne de l'ouest de la Bulgarie — Mauvais.
5. Éminence — Tissu damassé — Longue pièce de bois.
6. Astronome néerlandais mort en 1992 — Bord extérieur du disque d'un astre.
7. Lettres inscrites au-dessus de la Croix — Ville de la Loire-Atlantique, en France.
8. Silicium — Élyme des sables — Héros légendaire helvétique.
9. Sédiment organique — Un billion — Europium.
10. Phénomène — Interjection — Orientaliste français mort en 1966.
11. Au bridge, la septième levée — Essieu.
12. Vedette de *La fureur de vaincre* — Ville de l'Orne, en France.

Jeu 64

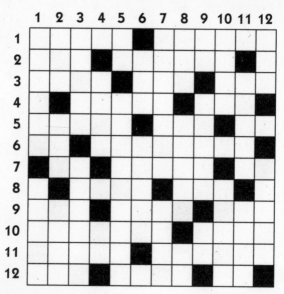

◻ Horizontalement ◻

1. Végétal ligneux — Action de faire perdre sa fraîcheur.
2. Dynastie chinoise — Aéroport de Tokyo.
3. Infus — Ville de Yougoslavie — Ancien premier ministre de l'Ontario.
4. Ancienne mesure de longueur — Communauté d'États indépendants.
5. Méditer — Terme utilisé principalement par les taoïstes — Sélénium.
6. Article étranger — Cacatoès gris.
7. Marque de commerce — Desquamer — École d'administration.
8. Averse violente — Classification pour l'huile.
9. Partie de l'épaule du cheval — Quatrième partie du jour — Point.
10. Fagot — Âme des ancêtres.
11. Relatif à une période de l'histoire égyptienne — Ventouse ambulacraire des échinodermes.
12. Freins — Homme politique coréen — Connu.

◻ Verticalement ◻

1. Prémisse — Ville de la Tunisie méridionale.
2. Ancien parti politique du Québec — Ville d'Allemagne — Homme politique autrichien.
3. Général suédois né en 1596 — Ruisselet.
4. Calife — Carat.
5. Préposition — Pétrolier.
6. Roi de Hongrie — Plaie faite par une arme blanche.
7. Os — Insecte rhynchote.
8. Massif montagneux du Sahara méridional — Planche qu'on ajoute à une autre pour élargir un panneau — Écrivain japonais.
9. Aux limites de la nuit — Cracheur — Mendélévium.
10. Rivière de Suisse — Grossier.
11. Rivière de France — Dieu suprême du panthéon sumérien.
12. Espace économique européen — Ville de la Drenthe.

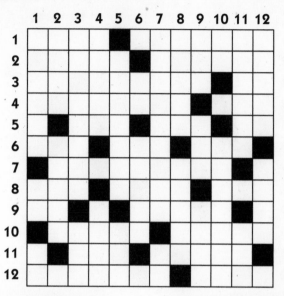

Jeu 65

❑ Horizontalement ❑

1. Premier ministre d'Australie de 2007 à 2010 — Certifier conforme à l'original.
2. Ville du Japon — Mélange de sable et de ciment.
3. Liqueur spiritueuse obtenue à partir d'une variété de griotte acide — Mercure.
4. Dans un énoncé, ce qu'on affirme ou ce que l'on nie à propos de ce dont on parle — Ville du Vietnam.
5. Organisme créé en 1945 — Pâté impérial — Stéradian.
6. Région orientale d'un pays — Prénom masculin — Trou dans un mur.
7. Ver luisant.
8. Ville d'Allemagne — Région habitée jadis par les Édomites — Première épouse de Jacob.
9. Indique la présence d'une fonction alcool — Lac de l'ouest de la Russie.
10. Ville de l'Isère, en France — Femme de lettres française.
11. Partie aval d'une vallée — Drain.
12. Céramique — Empereur.

❑ Verticalement ❑

1. Arracher — Peuple de l'Inde — Rutherfordium.
2. Second calife des musulmans — Cinéaste italien né en 1931.
3. Dominateur — Canton de Suisse centrale.
4. Couple de deux idées complémentaires — Mari de Bethsabée.
5. Absence de salive — Cavalier canadien qui a participé à neuf Jeux olympiques, de 1972 à 2008.
6. Symbole du Québec — Mention portée au dos d'un titre à ordre.
7. Reptile dinosaurien bipède — Sélénium.
8. Longueur d'un fil de la trame — Homs.
9. Rivière de Suisse — Ville de Belgique — Accord signé en 1947 à Genève.
10. À moitié — Ensemble des organismes pélagiques.
11. Plante âpre et toxique — Recueil de bons mots.
12. Compositeur allemand né en 1873 — Prénom de l'auteur de *Histoire de Pi*.

	1	2	3	4	5	6	7	8	9	10	11	12
1												
2												
3												
4												
5												
6												
7												
8												
9												
10												
11												
12												

◻ Horizontalement ◻

1. Partie latérale et postérieure de la mâchoire inférieure du cheval — Ville de l'Aude, en France.
2. Ville d'Algérie — Grand lac salé d'Asie.
3. Nommément — Cité légendaire bretonne.
4. Préposition — Tantale — Chefs au-dessus du caïd.
5. Monochrome — Journaliste espagnol.
6. Afrique équatoriale — Étron.
7. Proposition mathématique — Direction de la rose des vents — Musique originaire d'Algérie.
8. Nubile — Peuple de l'Inde méridionale.
9. Pomme (D') — Dynastie chinoise — Longue étoffe drapée.
10. Plante grimpante — Arbrisseau des régions méditerranéennes.
11. Pilastre carré — À lui — Bradype.
12. Prince légendaire troyen — Ville de la Haute-Vienne, en France.

◻ Verticalement ◻

1. Jeune enfant — Lama.
2. Ville de Suisse — Ville de Belgique où on célèbre le Marathon de la musique.
3. Pianiste français né en 1890 — Changeur.
4. Interdiction — Unité monétaire japonaise.
5. Extrémité méridionale du plateau brésilien — Anneau de cordage.
6. Ville de la Somme, en France — Restes — Europium — Sélénium.
7. Architecte et designer américain né en 1907 — Ville du Pérou.
8. Putto.
9. Ville de Grèce — Très.
10. Lanthane — Spore à un seul noyau de certains champignons.
11. Ville de Grande-Bretagne — Niche.
12. Se dit d'une langue bantoue — Aluminium.

	1	2	3	4	5	6	7	8	9	10	11	12
1												
2												
3												
4												
5												
6												
7												
8												
9												
10												
11												
12												

◻ **Horizontalement** ◻

1. Marcotte de vigne —
   Capitale du Bangladesh.
2. Qui contient de l'or.
3. Rivière d'Espagne — Ville de Suisse.
4. Terzetto — Mouche verte.
5. Auteur de l'ouvrage *Le nom de la rose*
   — Ensemble des puissances éternelles
   émanées de l'Être suprême —
   Curriculum vitæ.
6. Case postale — Rivière du sud-ouest
   de l'Allemagne — Prince troyen.
7. Loques.
8. Ville d'Italie — Ville de la Haute-Loire,
   en France.
9. Magnésium — Cinéaste britannique
   né en 1908 — Béryllium.
10. Base — Symbole de la Saskatchewan —
    Liquide amniotique.
11. Classer — Deux en chiffres romains.
12. Iridium — Période des chaleurs —
    Plante des marais, à baies rouges.

◻ **Verticalement** ◻

1. Copie — Unité de pression mécanique.
2. Regimber — Arec.
3. Ripaille — Compositeur allemand
   né en 1873.
4. Virulicide — Ville de la Drôme,
   en France.
5. Ville du sud-ouest du Nigeria —
   Grivois — Astate.
6. Issu — Substance minérale fibreuse.
7. Faire mourir par le supplice de la roue —
   Eau-de-vie parfumée à l'anis.
8. Dispositif d'allumage des moteurs
   à explosion — Rivière de France —
   Dialecte.
9. Cuvette — École des élites.
10. Mathématicien norvégien né en 1802 —
    Musique de régiment.
11. Ville de France, préfecture des
    Alpes-Maritimes — Affliction.
12. Paresseux — Ville de Belgique —
    Dynastie chinoise.

Jeu 68

	1	2	3	4	5	6	7	8	9	10	11	12
1					■		■					
2				■								■
3										■		
4					■			■				
5			■									
6		■		■								■
7	■					■			■			
8				■		■				■		
9					■			■				
10				■				■				
11												
12						■	■		■			

◻ Horizontalement ◻

1. Ville de Birmanie — Trop fardé.
2. Officier de la cour du sultan — Région montagneuse de l'Asie occidentale.
3. Joint assurant l'étanchéité — Cérium.
4. Mari de Bethsabée — Ville de Belgique.
5. Dieu solaire — Feuille de palmier — États-Unis.
6. Roulement de tambour — Chou pommé à feuilles lisses.
7. Cap du sud-est de l'Espagne — Unité monétaire du Laos.
8. Véhicule utilitaire sport — Rivière de Normandie — Métal argenté très dense (symbole).
9. Sculpteur français — Ancien premier ministre de l'Ontario — Unité monétaire bulgare.
10. Argile rouge ou jaune — Ville du Nigeria — Soldat français.
11. Pièce.
12. Étendue sableuse — Rivière d'Auvergne, en France.

◻ Verticalement ◻

1. Crustacé décapode — Déesse romaine du Foyer.
2. Hagard — Merisier à grappes.
3. Farine de manioc — Épinard des Indes.
4. État d'Asie dirigé par Ram Baran Yadav en 2008 — Préposition.
5. Paresseux — Ville du Nord, en Thiérache — Ville du sud-ouest du Nigeria.
6. Coopérative, dans l'ancienne Russie — Alouette vivant sur les hauts plateaux d'Afrique.
7. Muon — Marque de commerce — Rivière d'Allemagne.
8. Influençable.
9. Prince troyen.
10. Deux en chiffres romains — Capitale du Groenland — Ville de Guinée.
11. Requérir.
12. École des élites — Rudération.

Jeu 69

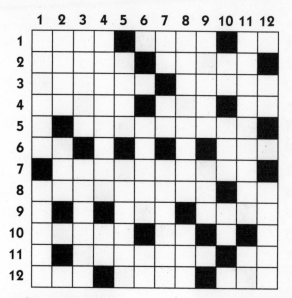

▢ Horizontalement ▢

1. Ville de l'Aude, en France — Chirurgien français mort en 1898 — Plutonium.
2. Territoire portugais sur la côte de la Chine — Ville de Suisse.
3. Taro — Église romane et gothique.
4. Doigtier de cuir du calfat — Universal Transverse Mercator — Nazi.
5. Éruption rouge au cours des maladies infectieuses.
6. Cité antique de la Basse Mésopotamie — Rivière de l'Éthiopie.
7. Défenseur du christianisme.
8. Séparer les paupières — Symbole du Nouveau-Brunswick.
9. Tendre — Apprêt qui rend les étoffes plus lustrées.
10. Languette mobile — Tour.
11. Arrogance — Cæsium.
12. Résine malodorante — Courroie — Ville de la Drôme, en France.

▢ Verticalement ▢

1. Combustible spongieux — Capitale du Bangladesh.
2. Protecteur du foyer — Ancien premier ministre de l'Ontario.
3. Enveloppe coriace — Ensemble des phénomènes psychiques conscients et inconscients.
4. Rythme marqué du talon dans la danse flamenco — Interjection.
5. Montagne de Grèce — Brunisseur.
6. Fromage au lait de chèvre — Règle de dessinateur.
7. Voyelles — Note — Substance qui lie entre elles les diverses parties d'un corps solide.
8. Irrégularité du rythme cardiaque ou respiratoire — Artère.
9. Ce qui est pensé, en phénoménologie — Société Radio-Canada.
10. Étain — Billet — Champagne.
11. Charpie — Pronom démonstratif.
12. Préposition — Long canal d'irrigation.

Jeu 70

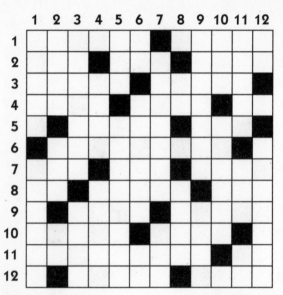

◻ Horizontalement ◻

1. Sentence — Homme politique suisse mort en 1940.
2. Agence spatiale européenne — Style musical — Dominicain belge, prix Nobel de la paix 1958.
3. Joueur de tennis australien — Vestige.
4. Deuxième ville la plus peuplée d'Algérie — Bile des animaux de boucherie — Thermie.
5. Précepte — Ville du Calvados, en France.
6. Tissu de coton gratté pour avoir un aspect velouté.
7. Autocar — Assemblée russe — Vitesse acquise d'un navire.
8. Métal précieux — Général suédois né en 1596 — Plante herbacée.
9. Cassier — Impératrice d'Orient.
10. Valve — Ancien émirat de l'Arabie.
11. Attenants — Saint.
12. Prêtre d'Alexandrie — Groupe de sporanges chez les fougères.

◻ Verticalement ◻

1. Doigtier de cuir du calfat — Ville du Cantal, en France.
2. Rivière du sud-ouest de l'Allemagne — Unité de puissance réactive — *Idem.*
3. Bondir — Plante oléagineuse grimpante.
4. Société nationale italienne d'électricité et plus important producteur d'énergie géothermique au monde — Il a popularisé *Faire la paix avec l'amour.*
5. Nom d'un ex-défenseur de hockey prénommé Bobby — Médaillée d'or en gymnastique en 1976.
6. Sodium — Petit animal du genre des martres — Europium.
7. Rapin — Ville de Belgique.
8. Paul-Émile — Économiste français.
9. Substance vitreuse dont on fait des vases — Troisième glaciation de l'ère quaternaire.
10. Peuple du sud-est du Nigeria — Relever une voile un voile pli par pli tout le long et au-dessus d'une vergue sur l'avant.
11. Ville des Bouches-du-Rhône, en France — Ancien parti politique du Québec — Strontium.
12. Afrique équatoriale — Peur (pop.).

	1	2	3	4	5	6	7	8	9	10	11	12
1												
2												
3												
4												
5												
6												
7												
8												
9												
10												
11												
12												

❒ Horizontalement ❒

1. Loche — Nombre romain.
2. Poème — Point — Cicatrice sur le tégument d'une graine.
3. Spiritueux — Bogue — Poisson.
4. De naissance — Prénom du défenseur Gill — Bois détruit par le feu.
5. Escarpolette.
6. Hertz — Nanocoulomb — Rogué.
7. Oiseau palmipède — Aluminium — Homme politique angolais né en 1922.
8. Consonnes jumelles — Poète français — Titane.
9. Peuple de l'Inde — C'est-à-dire — Substance friable dans l'eau.
10. Musique originaire d'Algérie — Plante originaire de l'Inde.
11. Patrie d'Abraham — Science qui étudie les sols.
12. Officier de Louis XV — Laxatif extrait du cassier — Début d'abcès.

❒ Verticalement ❒

1. Petit du phoque du Groenland — Ville de la Somme, en France.
2. Rivière de Suisse — Tsigane.
3. Partie aval d'une vallée — Paresseux.
4. État de l'est de la Birmanie — Erbium.
5. Forme d'art — Acidoses.
6. Instrument de musique indienne — Lutécium — Ville du sud-ouest du Nigeria.
7. Ville du Japon — Nodosité.
8. Ville de l'Orne, en France — Galère.
9. Épisode d'un combat entre deux points de vue — Molybdène.
10. Mot — Danse originaire des îles de l'océan Indien.
11. Vin blanc mousseux du Midi de la France — Livre.
12. Fleuve d'Irlande — Potée de viandes et de légumes.

Jeu 72

	1	2	3	4	5	6	7	8	9	10	11	12
1									■			
2						■						■
3					■						■	
4				■						■		
5			■				■					
6		■						■				
7	■											
8						■						
9					■				■			
10		■				■						
11								■				
12					■						■	

❑ Horizontalement ❑

1. Maladie à virus de la pomme de terre — Massif montagneux du Sahara méridional.
2. Massif de l'Algérie orientale — Contraction de syllabes.
3. Ombrée — Habitation rurale.
4. Moment où une chose s'achève — Rang de pieux fichés en terre pour former une digue — Note.
5. « Est » anglais — Rivière d'Auvergne, en France — Dans le nom d'une ville du Brésil.
6. Amas de sporanges sous la feuille d'une fougère — Réseau de transport de la Capitale.
7. Violent.
8. Nourriture providentielle — Métal jaune — Bastide.
9. Infus — Tissu qui imite l'aspect d'une peau fine.
10. Variété de calcédoine — États-Unis — Chrome.
11. Grosse pierre pour grimper sur un cheval — But que l'on vise.
12. Ester — Argon.

❑ Verticalement ❑

1. Fil passé en faufilant — Ville où évoluent les Marlins, dans la MLB.
2. Variété de corindon — Poutre mobile horizontale.
3. État de l'Asie occidentale — Précis.
4. Désobligeant — Coiffure de certaines religieuses.
5. Restes — Revêtement en pierres sèches — Officier de Louis XV.
6. Flux — Pronom anglais.
7. Écorce — Nouaison.
8. Fleuve d'Irlande — Disposition des lieux dans un bâtiment.
9. Dieux guerriers de la mythologie scandinave — Symbole de l'unité de mesure décacoulomb.
10. Enzyme — Coup porté avec une partie du corps — Lanthane.
11. *Id est* — Faire sortir une bête de son gîte.
12. Radium — Esclave.

Jeu 73

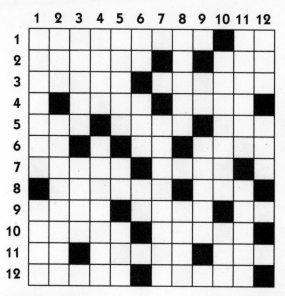

☐ Horizontalement ☐

1. Qui retient les substances grasses — Calcium.
2. Fraises — Serpent.
3. Abriter — Embout cylindrique qui s'adapte à l'extrémité d'un aspirateur.
4. Rivière d'Auvergne, en France — Extrémité sud-est du Pakistan.
5. Ville du sud-ouest du Nigeria — Fleuve de la République tchèque et d'Allemagne — Terre.
6. Voyelles — Conjonction — Unité de mesure de superficie utilisée en physique nucléaire.
7. Petit vautour au plumage noir — Ouverture.
8. Prospère — Ville de Serbie.
9. Ville du Maroc — Ville de l'Hérault, en France — Bradype.
10. Nonchalant — On célèbre ce festival à Victoriaville et à Joly.
11. Iridium — Alarme — Ville de Belgique.
12. Calé — Général vendéen.

☐ Verticalement ☐

1. Ville de l'Ain, en France — Ville d'Algérie orientale.
2. Ville du Nigeria — Agir à l'encontre d'un devoir.
3. Perceuse — Branche de l'Oubangui.
4. Dernier roi d'Israël — Dégénérer en abcès.
5. Revêtement en pierres sèches — Voyelles — Prénom féminin.
6. Hassium — Groupe qui a popularisé *Poker* — Nanoseconde.
7. Note ornant une mélodie.
8. Pierre plate utilisée comme dalle — Colline artificielle.
9. Pronom démonstratif — Médecin et physiologiste français.
10. Oiseau au plumage bleu et brun — Ancien premier ministre de l'Ontario.
11. Plier — Rivière de l'est de la France.
12. Rivière de Suisse — Jamais.

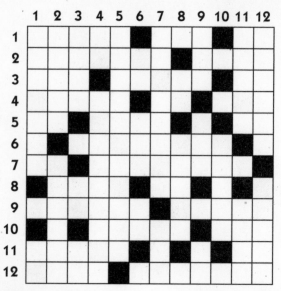

◻ Horizontalement ◻

1. Massif des Alpes suisses —
   Maîtrise en administration des affaires —
   Début d'école.
2. Rocher — Ensemble des cellules
   non reproductrices.
3. Rivière alpestre de l'Europe centrale —
   Petit bouclier en forme de croissant —
   Groupe anglais des années 1960
   natif de Liverpool.
4. Ville de la province de Latina, en Italie —
   Américium — Pronom personnel.
5. De naissance — Vallée des Pyrénées
   espagnoles — Préposition.
6. Sortie.
7. Nanoseconde — Pince-nez.
8. Poudre minérale — Aux limites de la nuit.
9. Petite languette d'un végétal —
   Théologien musulman.
10. Écrivain mexicain mort en 1959 — Onde.
11. Méditer — Préfixe.
12. État de l'Asie occidentale — Ronce.

◻ Verticalement ◻

1. Le festival de cette ville est l'une des
   plus importantes manifestations
   internationales du spectacle — À moitié.
2. Fille du roi d'Argos — Fondeur.
3. Vase — Mercure — Radium.
4. Lanthane — Danse.
5. Quitter le port.
6. Paul-Émile — Acide ribonucléique —
   Philosophe français né en 1900.
7. Instructeur des gardiens de but des
   Canadiens de 1997 à 2009 —
   École des élites.
8. Thulium — Manifestation morbide
   brutale.
9. Résine malodorante — Terre —
   Fleuve de Russie.
10. Dieu grec de la Mer.
11. Voilé — Petit maillet à manche flexible.
12. Petite chambre à bord d'un navire —
    Onguent.

Jeu 75

	1	2	3	4	5	6	7	8	9	10	11	12
1									■			
2				■						■		
3							■					
4				■		■						
5			■				■					
6		■										
7							■	■				
8		■			■			■				
9	■				■				■			
10											■	
11						■						
12							■					

◻ Horizontalement ◻

1. Minuscule goutte de graisse — Symbole de l'unité de mesure décacoulomb.
2. États-Unis — Point culminant des Pyrénées — Molybdène.
3. Sherry — Retour.
4. Grand lac salé d'Asie — Moine bouddhiste.
5. Règle de dessinateur — Vivacité — Plus long cours d'eau du Kenya.
6. Rauquement.
7. Ville d'Espagne — Adjectif démonstratif.
8. Fleuve d'Afrique — Personnage biblique, épouse de Booz.
9. Organisation des États américains — Pièce honorable de l'écu — Espace de temps.
10. Plante potagère vivace — Douze mois.
11. Lac du nord-ouest de la Russie — Acteur américain né en 1924.
12. Plante herbacée — Ville de Belgique.

◻ Verticalement ◻

1. Dislocation — Fédération qui a existé de 1895 à 1958.
2. Département de la région Rhône-Alpes, en France — Clématite.
3. État du nord du Brésil — Fraiser.
4. Général vendéen — Mordant.
5. Partie d'un canal entre deux écluses — Premier ministre d'Australie de 2007 à 2010 — Cor.
6. Parti politique — Ancienne ville de la Palestine — Potentiel hydrogène.
7. Ville du Loir-et-Cher, en France — Écrivain japonais — Homme politique autrichien.
8. Ville du Morbihan, en France — Ornement linéaire.
9. Druide gaulois — Bâton pastoral en forme de béquille.
10. Pièce de l'écu en forme de pointe triangulaire — Neptunium.
11. Asbeste — Bar.
12. Goulot — Ville de la Dordogne, en France.

Jeu 76

	1	2	3	4	5	6	7	8	9	10	11	12
1							■					
2				■								■
3												
4					■		■		■			
5				■		■			■			
6			■				■					
7	■						■					
8				■								
9		■							■			
10				■								
11						■						
12												

❏ Horizontalement ❏

1. Acteur britannique mort en 1984 — Végétal ligneux.
2. Habitant — Subdivisé.
3. Caqueter — Ville des Hautes-Alpes, en France.
4. Ville de la Russie — Stéradian — Lanthane.
5. Ville de l'Hérault, en France — Mendélévium.
6. Préposition — Sélénium — Famille de singes cynocéphales.
7. Assemblage à l'aide d'entailles — Ville de la Corée du Sud.
8. Statut — Ville d'Irak.
9. Requin de grande taille — Début d'école.
10. Dingue — Ville d'Italie — Emportement.
11. Fluide frigorifique — École — Métal jaune.
12. Dégradante.

❏ Verticalement ❏

1. Partie latérale de la tête de certains animaux — Liane d'Afrique et d'Asie.
2. Second calife des musulmans — Cap d'Espagne — Fleuve du Languedoc.
3. Procès-verbal de conventions entre deux puissances — Noyer.
4. Fraise — Sinon.
5. Parures — Terre tenue d'un seigneur.
6. Mollusque gastéropode carnassier — Divisé en trois.
7. Ville du Loir-et-Cher, en France — Homme politique tchécoslovaque.
8. Massif montagneux du Sahara méridional — Châssis — Ville de Belgique.
9. Rutherfordium — Partie plate d'un aviron — Fleuve de France.
10. Polyandrie — Curie.
11. Régime enregistré d'épargne-actions — Chef élu des anciennes républiques de Venise — Maladie cryptogamique des plantes.
12. Platine — Lettre grecque — Ville du Cher, en France.

Jeu 77

	1	2	3	4	5	6	7	8	9	10	11	12
1							■					
2						■	■				■	
3				■								■
4				■			■			■		
5		■						■				
6			■									■
7												■
8	■						■					
9			■									■
10						■			■			
11					■							
12						■						

□ Horizontalement □

1. Hêtre → Petit bouclier en forme de croissant.
2. Suber — Président de l'Albanie élu en 2007.
3. Largement fixé sur le pied (bot.) — Ville du nord de la Syrie — Sodium.
4. Ver blanc — Afrique équatoriale — Assemblée russe.
5. Percer un trou — Prénom de l'actrice Derek.
6. Néodyme — Médecin — Monnaie roumaine.
7. Maréchal de Luxembourg (dit Le).
8. Terminé en tête arrondie — Ville de Grèce.
9. Attirer l'attention.
10. Concentrations d'acide dans le plasma sanguin — Père.
11. Alliage — Ancien nom de la Thaïlande.
12. Homme politique tchécoslovaque — Outiller.

□ Verticalement □

1. Oiseau échassier palmipède — Homme politique autrichien.
2. Opéra de Verdi — Symbole de l'unité de mesure décacoulomb — Explication.
3. Église romane et gothique — Famille de singes cynocéphales.
4. Pièce maîtresse de la charrue — Réunion de trois pieds métriques.
5. Dieu solaire — Petit fleuve côtier du nord de la France — Ancienne ville de la Palestine.
6. Coagulation.
7. Métal argenté très dense (symbole) — Adjuration.
8. À la robe blanche tachée de gris, pour un cheval — Peuple de Djibouti et de la Somalie.
9. Aspect du papier — Chef éthiopien — Iridium.
10. Peuple de l'île de Hainan — Découpure en forme de dent.
11. Mathématicien italien né en 1835.
12. Arbre des régions tropicales.

	1	2	3	4	5	6	7	8	9	10	11	12
1												
2												
3												
4												
5												
6												
7												
8												
9												
10												
11												
12												

❑ Horizontalement ❑

1. Défaut du bois — Très exactement.
2. Ville du Nigeria — Calendrier liturgique — Pièce maîtresse de la charrue.
3. Hache à fendre le bois — Fils arabe.
4. Inhibiteur de la monoamine — Vestige.
5. Cela — Cacolet — Ville du Cher, en France.
6. Ville du Maroc — Flamme — Parti politique.
7. Poème — Dégoutter — Compagnon.
8. Ville d'Espagne — Électronvolt.
9. Première épouse de Jacob — Tissu de coton pelucheux.
10. Auteur dramatique britannique né en 1693 — Plante cultivée pour ses tubercules comestibles.
11. Ville du Cantal, en France — Pascal — Pronom personnel.
12. Pour fixer un aviron — Vedette de *La fureur de vaincre.*

❑ Verticalement ❑

1. Qui vit dans la vase — Hallucinogène.
2. Théologien musulman — Affluent du Tibre.
3. Ville du Japon — Pain de fantaisie.
4. Partie arrondie — Touer.
5. Chef — Asseau — Dorures.
6. Peintre allemand — Sélénium.
7. Frapper.
8. Pleuvoir à verse — Plutonium.
9. Meurtrissure — Deuxième version d'un logiciel, avant sa commercialisation.
10. Buse d'aérage — Tantale.
11. Tangente — Configuration.
12. Poète épique et récitant — Voisine de la perce-neige.

Jeu 79

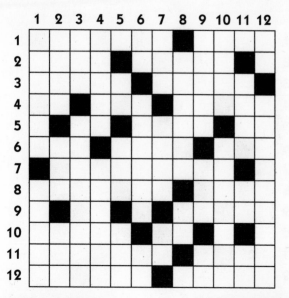

	1	2	3	4	5	6	7	8	9	10	11	12
1												
2												
3												
4												
5												
6												
7												
8												
9												
10												
11												
12												

❒ Horizontalement ❒

1. Titulaire — Couche intermédiaire de l'écorce terrestre.
2. Titre — Silence d'une voix.
3. Garnir — Ville du Luxembourg méridional.
4. Nickel — Poche — Feuillée.
5. Paul-Émile — Poisson d'eau douce — Thulium.
6. Fleuve d'Afrique — Sculpteur britannique né en 1924 — Vaccin contre la typhoïde.
7. Se faire remarquer.
8. Tampon — Mammifère carnivore.
9. Note — Naturel.
10. Étendue sableuse — Stibium.
11. Coaltar — Philosophe et historien français mort en 1954.
12. Sommaire — Dieu grec de la Mer.

❒ Verticalement ❒

1. Roue — Ville du Portugal.
2. Souverain du royaume d'Israël — Ville du Pérou — Extrait de suc de fruit.
3. Ancien premier ministre de l'Ontario — Requérant.
4. Séparation de deux éléments d'un mot — Dentelle légère au fuseau.
5. Radium — Goulot — Région du Sahara.
6. Note — Petit amas de poussière — Écrivain japonais.
7. Chef éthiopien — Cordage reliant une ancre à la bouée — Étain.
8. Cible pour le tir d'entraînement — Livre.
9. Ancien navire de commerce — Agent secret de Louis XV — Béryllium.
10. En outre — Farcir.
11. Métaldéhyde — Ruthénium — Rhénium.
12. Rivière de France — Nœud fait sur une amarre.

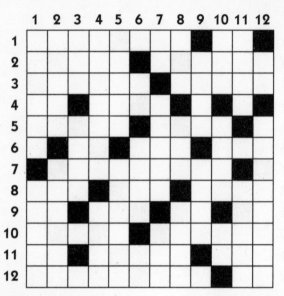

◻ **Horizontalement** ◻

1. Septentrional — Deux en chiffres romains.
2. Ouvertures donnant passage à l'eau — Manière de chasser au hasard du lancer.
3. Pourvoir à profusion — Général français mort en 1984.
4. Indique la présence d'une fonction alcool — Fleuve du nord-ouest de l'Irlande.
5. Petit sureau à baies noires — Unité de mesure de la vitesse de modulation d'un signal.
6. Rhénium — Conjonction — Point culminant des Philippines.
7. Carcailler.
8. Conviction — Plante herbacée vivace — Dominicain belge, prix Nobel de la paix 1958.
9. Symbole de l'Alberta — Atome — À lui — Quatre trimestres.
10. Ville du Var, en France — Petit chien d'agrément.
11. Aluminium — Défaveur — Emportement.
12. Intrépide — Article espagnol.

◻ **Verticalement** ◻

1. Ville du Japon de 8 500 000 habitants — Unité de mesure de capacité électrique.
2. Modeste offrande — Motif.
3. Réseau express régional — Résidu pâteux de la houille.
4. Libérer — Couleur bleue tirée de l'indigo.
5. Département de la région Rhône-Alpes, en France — Critiquer.
6. Radon — Écoinçon — Curium.
7. Note — Jeux — Tollé.
8. Lentille — Prénom de l'acteur qui a reçu l'Oscar du meilleur acteur pour son rôle dans *Harry et Tonto*, en 1975 — Graisse du sanglier.
9. Île la plus peuplée de l'archipel des Hawaii — Entretoise.
10. Rivière d'Alsace — Une des langues officielles en Afghanistan — Peuple de l'île de Hainan.
11. Ville de l'île de Taiwan — Raller.
12. Préposition — Grandiose.

◻ Horizontalement ◻

1. Osselet de l'oreille — Interjection.
2. Ville du Japon — Résines fossiles provenant de conifères.
3. Forme larvaire de certains crustacés — Ville d'Italie — Bouche.
4. Zone externe du globe terrestre — Contraction de la voyelle.
5. Structure du vers moderne — Interjection.
6. Éminence — Écrivain allemand mort en 1910 — Amoncellement.
7. Alezan — Aurochs.
8. Ville portuaire des États-Unis dans le Maryland — Début d'abcès.
9. Ensemble des parlers rhéto-romans — Note.
10. Animal des eaux douces ou salées — Idéal d'équilibre entre les espèces végétales.
11. Ville de l'Aude, en France — Ébranchoir.
12. Samarium — Grande antilope africaine — Pronom anglais.

◻ Verticalement ◻

1. Substance organique soluble — Insecte coléoptère de grande taille.
2. Cap d'Espagne — Fleuve du Kazakhstan.
3. Ville de la Drôme, en France — Affluent du Tibre.
4. Lanthane — Chatouilleux.
5. Ville de la Polynésie française — Conceptuel.
6. Marteau — Plante ombellifère — Métal argenté très dense (symbole).
7. Fleuve du nord-ouest de l'Allemagne — Colombium — Jamais.
8. Arrogant — Hallucinogène.
9. Chrome — Ruthénium — Forme larvaire des vers parasites trématodes.
10. Manquant d'originalité — Souverain du royaume d'Israël.
11. Dieux guerriers de la mythologie scandinave — Roi de Juda — Ville du sud-est de la France.
12. Redevance annuelle due par le tenancier au seigneur — Pugilat.

Jeu 82

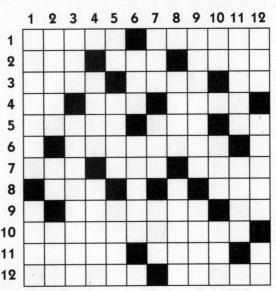

◻ Horizontalement ◻

1. Polytechnicien — Bâtard.
2. Canton de Suisse centrale — Il a 15 ans — Frère d'Abel.
3. Inhibiteur de la monoamine — Spiritueux — Molybdène.
4. Cale en forme de V — Canadian Broadcasting Corporation — Baseballeur qui a frappé le plus de coups sûrs (4256) dans la MLB.
5. Compositeur allemand né en 1873 — Cor — Xénon.
6. Oiseau passereau.
7. Régime enregistré d'épargne-actions — Organisation des États américains — Badiner.
8. Petite massue — Ville de Serbie.
9. Association — Fer.
10. Hésitation.
11. Profonds estuaires de rivière en Bretagne — Elle a popularisé *Fame*.
12. Démêler des fibres textiles — Fleuve de Géorgie.

◻ Verticalement ◻

1. Métalliser — Ombrée.
2. Multitude — Éminence — Roi de Hongrie.
3. Partie aval d'une vallée — Sonner du cor pour rappeler les chiens.
4. Site archéologique du sud du Vietnam — Variété de peuplier.
5. Fleuve de France — Vivacité — Ville du Rhône, en France.
6. Symbole de l'unité de mesure décacoulomb — Ville du Mexique occidental.
7. Petite tumeur — Organisme créé en 1945 — Désobligeant.
8. Grand lac salé d'Asie — Ville du Portugal.
9. Ajouter — Fondateur de l'Oratoire d'Italie.
10. À moi — Pièce de bois qui supporte la quille d'un navire — Cap d'Espagne.
11. Entreprise publique mexicaine chargée de l'exploitation du pétrole — Système de fossés d'effondrement.
12. Procris — Homs — Nombre romain.

Jeu 83

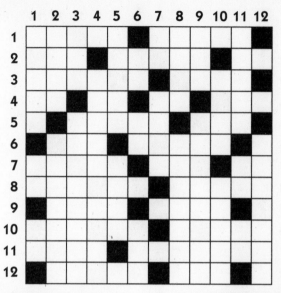

☐ Horizontalement ☐

1. Corruptible — Ville de la Loire-Atlantique, en France.
2. Rivière de l'Asie — Canard marin — Ancêtre de la bicyclette.
3. Fleuve d'Italie — Compagnon de saint Paul.
4. Indium — Prénom de l'actrice Derek — Hectare — Emportement.
5. Ville de Belgique — Cacolet.
6. Petite tumeur — Ville de Belgique où on célèbre le Marathon de la musique.
7. Gros pigeon à huppe érectile — Étendue désertique — À moi.
8. Partie d'une pièce servant d'appui — En Auvergne, petite fromagerie.
9. Ailier surnommé «Le petit viking» — Bord.
10. Arbre à fleurs monoïques — Aéroport du Japon.
11. Montagne biblique — Pelage.
12. Revenu périodique d'un bien — Espace de temps.

☐ Verticalement ☐

1. Rivière de Russie — Germanium — Manganèse.
2. Poussée — Pardonner.
3. Femme de lettres américaine — Plante vivace poussant sur les toits.
4. Fourvoiement.
5. Frugivore — Ville de Belgique.
6. Prêtresse d'Héra, aimée de Zeus — Tellure — Ancien premier ministre de l'Ontario.
7. Rad — Bonheur.
8. Montagne de Grèce — Maladie des vers à soie.
9. Canton de Suisse centrale — Chevroter.
10. Récipient de terre cuite — Galère.
11. Homme politique allemand — Molybdène — À moitié.
12. Ville de Chine, capitale de la province du Chiang-su.

Jeu 84

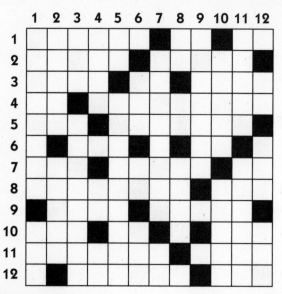

▢ Horizontalement ▢

1. Mammifère d'Afrique — Adjectif possessif — Petit fleuve côtier du nord de la France.
2. Raller — Interprète officiel de la loi musulmane.
3. Nom de rois de Norvège — Radium — Sauf.
4. Note — Partager en quatre quartiers égaux.
5. Pièce honorable de l'écu — Oxydes ferriques.
6. Prénom de l'acteur qui a reçu l'Oscar du meilleur acteur pour son rôle dans *Harry et Tonto*, en 1975 — Titre d'un film de Steven Spielberg.
7. Plante parasite — Acarien, parasite extérieur des volailles — Germanium.
8. Nom donné à divers coléoptères — Étendue d'herbe à la campagne.
9. Couche intermédiaire de l'écorce terrestre — Machine hydraulique à godets.
10. Article indéfini (pl.) — Centigramme — Repaire.
11. Fringants — Maladie infectieuse.
12. Mets suisse — Unité de finesse d'une fibre textile.

▢ Verticalement ▢

1. Détermination du groupe sanguin — Père.
2. Ville d'Ukraine — Ville de la Corrèze, en France.
3. Partie aval d'une vallée — Séculariser.
4. Rivière des Alpes — Américium — Début de roman.
5. Fer — Chute d'un grand cours d'eau.
6. Ancien premier ministre de l'Ontario — Rubidium — Gaz à effet de serre.
7. Lis rose tacheté de pourpre — Saint.
8. Muon — Titane — Dieu solaire égyptien.
9. Précieux, sophistiqués.
10. Tige fixée dans le plat-bord d'une barque — Cépage cultivé notamment en Bourgogne.
11. Niches — Semence.
12. Strontium — Vedette de *La fureur de vaincre* — Ville des Landes, en France.

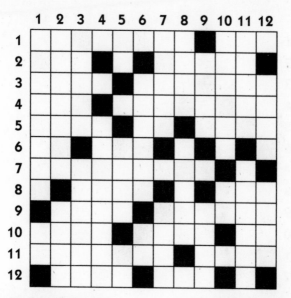

□ Horizontalement □

1. Cécités psychiques — Pièce qui supporte une voûte en construction.
2. Petit singe — Appareil de levage.
3. Archipel des Philippines — Hémorragie cutanée sous forme de stries.
4. Ville du Nigeria — Pique-assiette.
5. Jeune enfant — Article — Cri des bacchantes.
6. Conjonction — Pièce honorable de l'écu.
7. Marinade aromatisée de poissons étêtés.
8. Tête du cochon — Gros serpent.
9. Port du Maroc — Élément atomique n° 11.
10. Contre — Mal des montagnes — Abréviation du sud-ouest.
11. Chanteuse d'opérette — Terrains que la mer laisse à découvert.
12. Poisson des lacs alpins — Ancien premier ministre de l'Ontario.

□ Verticalement □

1. Délimiter — Palladium.
2. Grivois, leste — Avidité.
3. Le joueur le plus pénalisé de l'histoire de l'équipe des Canadiens — Sans feuilles en hiver.
4. Érafler, écorner accidentellement.
5. Sélénium — Habitation rudimentaire — Tantale.
6. Gorge — Platine.
7. Région aux confins de la Grèce et de l'Albanie — Dégoutter.
8. Poète italien né en 1883 — Ville des Vosges, en France.
9. Sable mouvant — Médecin britannique, prix Nobel 1936.
10. Brebis de deux ans qui n'a pas encore porté — Ancêtre de la bicyclette.
11. Point culminant des Pyrénées — Cabaret mal famé.
12. Ville de l'Orne, en France — Prophète biblique avant Jésus-Christ.

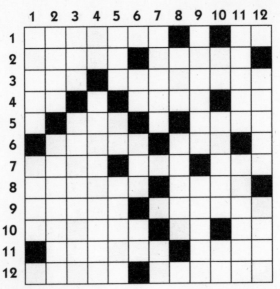

| | 1 | 2 | 3 | 4 | 5 | 6 | 7 | 8 | 9 | 10 | 11 | 12 |

❑ Horizontalement ❑

1. Plante grimpante — Gray.
2. Ville de France où l'on célèbre le Festival de la photographie sous le nom des Rencontres d'____ — Fleuve de Russie qui se jette dans la mer Blanche.
3. Pâté impérial — Gabelou.
4. Sélénium — Lézard à pattes très courtes — Tellure.
5. Arbre de l'Inde — Ombrée.
6. Appareil de levage — Compagnon de Mahomet.
7. Partie arrondie — Rivière d'Alsace — Freins.
8. Archipel portugais de l'Atlantique — Ville de Meurthe-et-Moselle, en France.
9. Ville des Pyrénées-Orientales, en France — Récipient à col étroit.
10. Rivière d'Argentine — La sienne — Terbium.
11. Comestible — Physicien français.
12. Père des Néréides — Couture.

❑ Verticalement ❑

1. Association de marchands, au Moyen Âge — Unité monétaire de la Lettonie.
2. Bord — Peinture exécutée rapidement.
3. Ville d'Allemagne — Bousculer, malmener.
4. Béryllium — Plante herbacée à fleurs roses.
5. Hallucinogène — Lanthane — Affluent de la Loire.
6. Restes — Ville de Serbie — Écrivain japonais.
7. Linge qui sert à l'infusion — Einsteinium.
8. Élégant, distingué — Instruments de musique à quatre cordes et à archet.
9. Tâche ennuyeuse — Personnage représenté en prière.
10. Soldat américain — Ingénieur allemand né en 1912 — Europium.
11. Ville de la province de Latina, en Italie — Tamiser de la farine pour la séparer du son.
12. Procès-verbal de conventions entre deux puissances — Général français né en 1758.

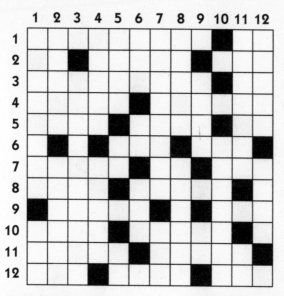

❒ **Horizontalement** ❒

1. Arbrisseau ornemental — Cheval-vapeur.
2. Ytterbium — Palmier d'Afrique — État de l'Inde occidentale.
3. Former aux bonnes manières — Lawrencium.
4. Fleuve de Géorgie — Renforcé.
5. Frêne à fleurs blanches — Musique pour violon d'origine écossaise ou irlandaise — Pronom anglais.
6. Amas de cellulose — Baudet.
7. Barre servant à fermer une porte — Nombre romain — Grand perroquet.
8. Ondulation de la mer — Ville de la Marne, en France.
9. Obstacle — Demoiselle.
10. Mollusque gastéropode — Flux.
11. Ville du Var, en France — Endommager.
12. Régime d'épargne-retraite — Fibre de noix de coco — Fleuve d'Afrique.

❒ **Verticalement** ❒

1. Boisson — Groupe qui a popularisé *Proud Mary*.
2. Suivre — Ville d'Italie, en Vénétie.
3. Corrompre.
4. Mat — Compositeur allemand né en 1873.
5. Évêque de Noyon — Carat — Scandium.
6. Explicite — Radium — Unité de mesure des radiations absorbées par un corps vivant.
7. Oiseau au long bec pointu — Gendre de Mahomet.
8. Département de la région Rhône-Alpes, en France — Trépider.
9. Montagne de l'ouest de la Bulgarie — Préposition.
10. Président des îles Maldives élu en 2008.
11. Joug — Route rurale.
12. Chat domestique qui est retourné à l'état sauvage — Port du Yémen.

Jeu 88

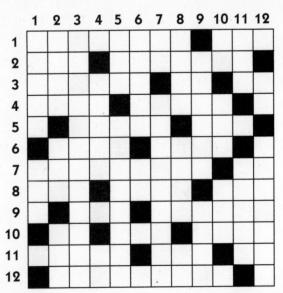

❑ Horizontalement ❑

1. Grande marionnette — Limite.
2. Unité de mesure agraire — Génératrice.
3. Cafre — Préposition — Fer.
4. Sur la croix de Jésus — Plante des marais, à baies rouges.
5. Plante qui contient un alcaloïde toxique — Fleuve du nord-ouest de l'Allemagne.
6. Ennui — Enjeu.
7. Barrière — Gallium.
8. Longues pièces de bois — Enveloppe de certains mollusques — Pied de vigne.
9. Petit singe — Mouron d'eau.
10. Article contracté — Monnaies roumaines — Aréquier.
11. On lui doit le camembert — Télévision Quatre-Saison — Ruthénium.
12. Examen critique.

❑ Verticalement ❑

1. Écrivain français — Ancienne unité de mesure d'accélération.
2. Écrivain politique français — Gendre de Mahomet — Rivière de Suisse.
3. Marque.
4. Pierre calcaire dure — Début d'école.
5. Rivière de l'Éthiopie — Ouvrage de fortification détaché en avant d'une enceinte ou faisant corps avec elle.
6. Rivière de Colombie — C'est-à-dire.
7. Mercure — Récompenses.
8. Société nationale italienne d'électricité et plus important producteur d'énergie géothermique au monde — Ville de Grèce — Quotient intellectuel.
9. Exécuté avec brio — Prénom d'un peintre italien.
10. Carat — Principe de vie — Petite tumeur.
11. Fédération qui a existé de 1895 à 1958 — Droguer.
12. Électronvolt — Tilbury.

	1	2	3	4	5	6	7	8	9	10	11	12
1												
2												
3												
4												
5												
6												
7												
8												
9												
10												
11												
12												

◻ Horizontalement ◻

1. Plante cultivée pour ses tubercules comestibles — Terme.
2. Ville de la Haute-Garonne, en France — Plante de l'Asie tropicale.
3. Parti politique — Dép. de la région Picardie, en France — Interjection.
4. Câble servant à maintenir — Peintre et sculpteur français.
5. Ville d'Ukraine — Pour citer textuellement.
6. Cinéaste italien né en 1916 — Ville des Pays-Bas — Partie d'un canal entre deux écluses.
7. Agencer.
8. Poteau servant à porter quelque chose — Chope — Argon.
9. Forme du hindi.
10. Ville d'Allemagne — Caillé.
11. Ruthénium — Sélénium — Écrivain politique français.
12. Planche qu'on ajoute à une autre pour élargir un panneau — Vent de sable chaud et sec du désert arabique et saharien.

◻ Verticalement ◻

1. Vendre — Ville d'Italie.
2. Opéra de Verdi — Chaîne de montagnes.
3. Discours, écrit destiné à attaquer violemment quelqu'un.
4. Sinon — Ville de la Mayenne, en France — Aurochs.
5. Bras méridional du delta du Rhin — Boudin.
6. Avant placé entre un ailier et l'avant-centre.
7. Parures — Obésités.
8. Ville de Galilée — Premier Noir gouverneur des colonies françaises.
9. Pénibles — Note — Mémoire vive.
10. Ancêtre de la bicyclette — Ville d'Italie — Sculpteur britannique né en 1924.
11. Première épouse de Jacob — Elle a fait connaître *Flashdance ... What A Feeling* — Supporte la tête.
12. Hassium — Rubidium — Consonnes jumelles.

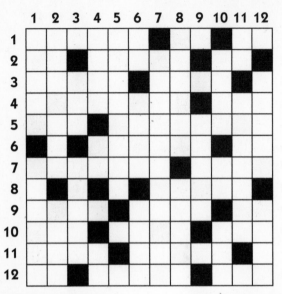

◻ Horizontalement ◻

1. Donné — Berkélium — Cæsium.
2. Connu — Engagement — Décibel.
3. Langue turque parlée dans la vallée de la Volga — Obstacle équestre.
4. Apophyse du cubitus — Volcan des Philippines.
5. Ville de Serbie — Il a gagné le Tour de France de 1991 à 1995.
6. Obscur — Carat.
7. Lascif — Alliage.
8. Bruit.
9. Baseballeur qui a frappé le plus de coups sûrs (4256) dans la MLB — Rivière de Suisse — Interjection.
10. Ancienne capitale du Maroc — Ardent — Mesure agraire de superficie.
11. Sculpteur français — Roseau aromatique.
12. Radium — Ville d'Allemagne — Interjection exprimant la joie.

◻ Verticalement ◻

1. Physicien britannique — Naviguer.
2. Caractère de ce qui est double — Montagne de Grèce.
3. Adjectif possessif (pl.) — Mollusque gastéropode carnassier.
4. Versant d'une montagne exposé au nord — «Est» anglais — Xénon.
5. Lande.
6. Préposition — Épouse de saint Joachim — Officiers de la cour du Sultan.
7. Sympathie.
8. Pugiliste — Ville de la Gironde, en France.
9. Galère.
10. Fleuve d'Afrique — Lanthane — Société de construction électrique allemande.
11. Colombium — Marquer de petites taches.
12. Architecte et designer italien mort en 1979 — Homme misérable.

Jeu 91

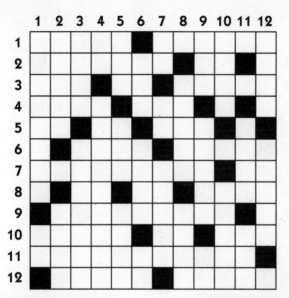

□ **Horizontalement** □

1. Gros harpon — Incarner.
2. État de l'Afrique orientale — Petit fleuve côtier du nord de la France.
3. Aurochs — Argon — Équipage accompagnant un personnage.
4. Affluent du Rhône — Ville du sud-est de la France.
5. Aluminium — Erbium — À moi (pl.).
6. Conclusion d'un morceau de musique — Rivière de l'Aube, en France.
7. Assassin à gages — Début d'abcès.
8. Prénom de l'actrice Derek — Quatre trimestres — Ville de Belgique.
9. Élément constant d'un calcul.
10. Ville des Côtes-d'Armor, en France — Lithium — Pianiste français né en 1890.
11. Révolutionnaire.
12. Endroit où habite une personne peu sociable — Cocaïne.

□ **Verticalement** □

1. Foucade — Nombre romain.
2. Fleuve de Russie — Trouble de l'appétit.
3. Ville de Hongrie — Cachot où l'on enfermait les fous jugés dangereux.
4. Sodium — Antisudorifique.
5. École — Ancien pays dont l'unité monétaire était le mark — Ville du Nord, en Thiérache.
6. Fleuve d'Afrique — Frères artistes allemands — Pronom démonstratif.
7. Cela — Prométhium — Généticien américain né en 1903.
8. Coup porté avec une partie du corps — Grand plat en terre.
9. Extrémité méridionale du plateau brésilien — Asdic — Sélénium.
10. Ferré — Sincère.
11. Architecte espagnol prénommé Enrique — Société de construction électrique allemande.
12. Partie inférieure ou centrale d'une voûte — Homme politique allemand.

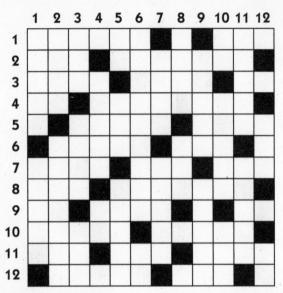

◘ Horizontalement ◘

1. Unité monétaire principale de la Hongrie — Unité de mesure calorifique.
2. Il a 15 ans — Ville de l'Aisne, en France.
3. Montagne biblique — Couleur bleue tirée de l'indigo — Radium.
4. Grade — Évanouissement.
5. S'enfuir — Chanson populaire.
6. Petit pieu pointu — Pour la troisième fois.
7. Bar — Ville du Japon — Oiseau palmipède.
8. Article indéfini — Ardent.
9. Bande dessinée — Elle a popularisé *C'est trop facile* — Europium.
10. Ancien nom d'une partie de l'Asie Mineure — Hagard.
11. Lanka — Plante textile — Silicate naturel de magnésium.
12. Exercer une action en justice — Ville du Maroc.

◘ Verticalement ◘

1. Abjection — Variété de corindon.
2. Fleuve qui sépare la Pologne de l'Allemagne — Personnage antique responsable des maux de la Terre.
3. Extrait de suc de fruit — Genévrier du midi de la France — Ville de Serbie.
4. Girasol — Paresseux.
5. Nanocoulomb — Ancienne capitale d'Arménie — Queue-de-rat.
6. Quartier — Iridium.
7. Ville du Nord, en Thiérache — Mollusque bivalve.
8. Sommet des Alpes suisses — Roche poreuse légère.
9. Ville de la Somme, en France — Matière textile.
10. Banque Nationale — Ville des Deux-Sèvres, en France — Chef éthiopien.
11. Mat — Conceptuel.
12. Ville de la Drôme, en France — Colombium.

Jeu 93

	1	2	3	4	5	6	7	8	9	10	11	12
1												

❐ Horizontalement ❐

1. Recueil de textes concernant un sujet — Ville d'Italie.
2. Pronom personnel — Montagne de l'ouest de la Bulgarie — Société nationale italienne des pétroles présente dans 70 pays.
3. Oiseaux échassiers — Alcool.
4. Prénom de l'auteur de *Histoire de Pi* — Grand plat en terre.
5. Métaux brillants — Cobalt — Poisson-perroquet.
6. Conjonction — Calcium — Relatif au bouc.
7. Ville d'Italie — Homme politique angolais né en 1922.
8. Profil — Petit morceau cubique.
9. Animal des eaux douces ou salées — Mouvant.
10. Aluminium — Grand lac salé d'Asie — Interjection.
11. Accord.
12. Curium — Pomme de terre allongée — Unité de mesure thermique.

❐ Verticalement ❐

1. Égouttoir — Plante qui contient un alcaloïde toxique.
2. Ancienne cité de la Méditerranée — Samarium.
3. Ville du Var, en France — Sociologue allemand mort en 1990.
4. Manganèse — Sasser.
5. Canton de Suisse centrale — Barque qui servait sur le Nil — Sodium.
6. Nom d'un pont de Rome — Indium — Société américaine de réseau téléphonique.
7. Génie malfaisant, dans la mythologie arabe.
8. Entrepôt — Ondulation de la mer.
9. Soupçonneux.
10. Unité monétaire japonaise — Plante malodorante — Symbole de l'unité de mesure nit.
11. Étain — Terzetto — Avis.
12. Dép. de la région Rhône-Alpes, en France — Préposition — Ville de Belgique.

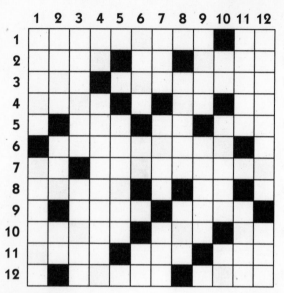

◻ **Horizontalement** ◻

1. Gigantesque — Jumelles.
2. Frères artistes allemands — Champion — Basse vallée d'un cours d'eau.
3. Joli — Mouche africaine.
4. Eau-de-vie — Interjection — Arbre.
5. Artiste dramatique français — Or — Gendre de Mahomet.
6. Tourmenter.
7. Moi — Escadrille.
8. Rejeton produit par les racines — Ut.
9. Ville du Cher, en France — Courroie.
10. Général français mort en 1944 — Poisson — Prométhium.
11. Lettres inscrites au-dessus de la Croix — Vêtement renversé — Monnaies roumaines.
12. Touffe de rejets de bois — Disconvenir.

◻ **Verticalement** ◻

1. Manteau court en drap de laine — Coterie.
2. Fleuve côtier né en France — Unité de mesure thermique — Radon.
3. Angle d'une pale d'hélice d'avion avec le plan de rotation — Personne instruite.
4. Lumen — Société.
5. Tache.
6. Partie plate d'un aviron — Prêtresse d'Héra, aimée de Zeus — Sélénium.
7. Observatoire européen austral — Instrument de musique à quatre cordes et à archet — Classification pour l'huile.
8. Ville du Vaucluse, en France — Île croate de l'Adriatique.
9. Urbaniste anglais — Canard marin.
10. Ancêtre de la bicyclette — Populaire carnaval de Belgique — Peuple de l'île de Hainan.
11. Saillie du pubis — Estoc.
12. Établir à l'avance un délai à respecter — Kolkhoz.

Jeu 95

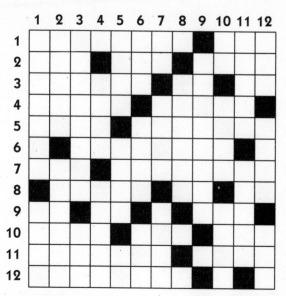

◻ Horizontalement ◻

1. Groupe de lettres liées ensemble — Perroquet.
2. Son souffle réchauffe l'enfant Jésus — Partie aval d'une vallée — Joueur de centre qui porte le n° 53 des Canadiens.
3. Qui a une action sur les nerfs — Fleuve qui prend sa source au mont Viso dans le Piémont — Nanoseconde.
4. Manteau court en drap de laine — Cri d'un animal à qui on tord le cou.
5. Évêque de Noyon — Inonder.
6. Figurer.
7. Réseau des sports — Qui concerne le travail de la terre.
8. Compositeur allemand né en 1873 — Article espagnol — Écrivain japonais.
9. Note — Cycle des saisons — Onde.
10. Ville de l'Hérault, en France — Substance friable dans l'eau — Musique originaire d'Algérie.
11. Poème — Ville d'Allemagne.
12. Dégeler brusquement, en parlant d'une rivière.

◻ Verticalement ◻

1. Releveur — Roi d'Arabie Saoudite né en 1923.
2. Vedette masculine de *Une histoire d'amour* — Filet de pêche en forme de poche.
3. Petit rongeur d'Asie et d'Afrique — Écrivain algérien né en 1920.
4. Vide — Ville de la province de Latina, en Italie.
5. Divisé en trois — Frère d'Abel — Actinium.
6. Principe fondamental de la philosophie taoïste — Ville du Bas-Rhin, en France — Argile ocreuse.
7. Pascal — Elle a fait connaître *Flashdance... What A Feeling* — Laxatif extrait du cassier.
8. Soupçon.
9. Maladie contagieuse de l'enfance.
10. Champagne — Lettres inscrites au-dessus de la Croix — Elle a popularisé *C'est trop facile*.
11. Fleuve de Bretagne — Robe blanche, alezan et noire.
12. Ville de Belgique — Homme politique coréen — Prénom de l'auteur qui a créé *James Bond*.

Jeu 96

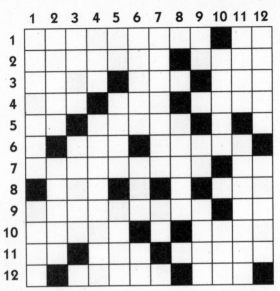

❑ **Horizontalement** ❑

1. Métal — École d'administration.
2. Cachot où l'on enfermait les fous jugés dangereux — Médaillé d'or au 100 m en 1988.
3. Récipient de terre cuite — Parti politique — Écrivain algérien né en 1920.
4. Incorporé — Ville des Pyrénées-Atlantiques, en France — Engrais azoté.
5. Cale en forme de V — Boisson normande.
6. Ouille — Prénom du rôle joué par Monique Mercure dans *Providence*.
7. Repousser — Cône servant à égoutter les bouteilles.
8. Oiseau — Terme de tennis.
9. Prénom de l'auteure de *Bonheur d'occasion* — Krypton.
10. Existant — Ancienne unité d'éclairement.
11. Dieu solaire — Bière blonde — Raller.
12. Calibre, fraise — Cinéaste américain né en 1911.

❑ **Verticalement** ❑

1. Stimuler — Affluent du Rhône.
2. Agneline — Vestige.
3. Versant d'une montagne exposé au nord — Animal des eaux douces ou salées.
4. Ville de la Côte d'Ivoire — Hiémal.
5. Indium — Ville de la Polynésie française — Fils d'Énée.
6. Cactus à rameaux aplatis — Ancien premier ministre de l'Ontario — Einsteinium.
7. Mettre à couver — Lumen.
8. Conceptuel.
9. Marque de commerce — Iridium — Entretoise.
10. Versant exposé au soleil — Dynastie impériale chinoise.
11. Port des États-Unis — Noyer blanc.
12. Dramaturge américain — Place forte.

	1	2	3	4	5	6	7	8	9	10	11	12
1								■				
2				■		■		■			■	
3			■				■					
4					■					■		
5		■				■			■			
6				■			■					■
7						■						
8		■			■			■				
9							■			■		
10			■						■			
11					■						■	
12				■	■			■				

❑ Horizontalement ❑

1. Maladroit — Ancienne province de la Chine.
2. Profond estuaire de rivière en Bretagne — Circonstance.
3. Guise — Ville d'Italie — «Est» anglais.
4. Plante aquatique — Hallucinogène.
5. Argent — Chambre chauffée — Fleuve côtier des Pyrénées-Orientales.
6. Grand navire à voiles du Moyen Âge — Mention portée au dos d'un titre à ordre.
7. Lac d'Italie — Groupe de discussion.
8. Courroie — Aluminium — Prénom de l'actrice Derek.
9. Crabe — Pénible.
10. Arbre de l'Inde — Il a fait connaître *I Left My Heart In San Francisco* — Arsenic.
11. Pylône — Perchiste.
12. Sommet frangé — Peintre italien né en 1615.

❑ Verticalement ❑

1. Miséricordieux — Mégacycle.
2. Sommaires — Empereur.
3. Physicien français — Sel de l'acide ferrique.
4. Chrome — Forme d'art — Ganse.
5. Prophète biblique avant Jésus-Christ — Symbole de Terre-Neuve-et-Labrador — Sélénium.
6. Plante des régions tempérées — Petit bouclier en forme de croissant.
7. Danse andalouse traditionnelle — Peuple du Ghana.
8. Carat — Ville d'Italie — Symbole de l'unité de mesure nit.
9. Type illuminé qui dirige une secte — Noyer.
10. Einsteinium — Avion à décollage et à atterrissage courts — Voyelles.
11. Dans le calendrier romain — Nom de l'équipe de la NFL évoluant à Chicago.
12. Légumineuse — Hors, excepté.

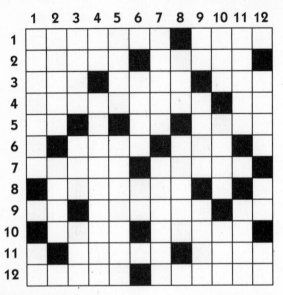

❑ Horizontalement ❑

1. Fumiger — Dronte.
2. Personne à marier — Roche constituée de coridon.
3. Partie aval d'une vallée — Écrivain français mort en 1894 — Classification pour l'huile.
4. Harmonisé — Nanocoulomb.
5. Article indéfini — À lui — Disconvenir.
6. Affluent de la Seine — Démonstratif.
7. L'ancienne Estonie — Champignon.
8. Mouiller abondamment.
9. Germanium — Églantier — Philosophe français né en 1900.
10. Ancien émirat de l'Arabie — Ville de la Marne, en France.
11. Ville de Russie — Conquistador espagnol.
12. Hagard — Cacher.

❑ Verticalement ❑

1. Confirmé — Règle de dessinateur.
2. Ville d'Écosse — Ville du Cameroun.
3. Smoking — Volcan actif du Japon — Ville de Belgique.
4. Note — Au long cours.
5. Courte comédie burlesque et satirique — Bicuspide.
6. Ville de Belgique — Hassium.
7. Ponctuellement — Fête musulmane qui suit le ramadan, chez les Turcs.
8. Vaste étendue — État de l'Asie orientale.
9. Petit cube — Société nationale italienne d'électricité et plus important producteur d'énergie géothermique au monde — Troisième glaciation de l'ère quaternaire.
10. Richesses — En outre — Transistor à effet de champ.
11. Batterie de tambour — Ville d'Italie.
12. Brut — Gray — Métal précieux.

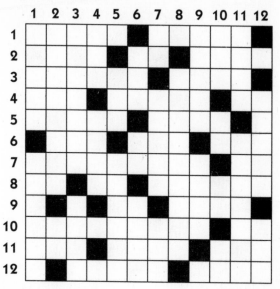

❐ Horizontalement ❐

1. Il a popularisé *Photograph* — L'unique athlète féminine canadienne à avoir remporté des médailles aux Jeux olympiques d'été et d'hiver.
2. Sphère d'un astre — Paresseux — Sable de bord de mer.
3. Rhume de cerveau — Mince.
4. Pronom personnel — Affluent de la Loire — Pronom anglais.
5. Appât — Ville d'Espagne.
6. Argent — Navigateur portugais — Mémoire vive.
7. Désabuser — Banque Nationale.
8. Argon — Début d'école — Urfa.
9. Tantale — Infus.
10. Dissemblance — Nobélium.
11. Plante herbacée annuelle — Urne — Réseau de télévision anglophone.
12. Dépourvu de gène contaminant — Produit de dégradation des acides aminés de l'organisme.

❐ Verticalement ❐

1. Podium — Écrivain français mort en 1897.
2. Mettre en faisceau — Iridium.
3. Fruit — Peuple de Djibouti et de la Somalie.
4. Chimiste et médecin français mort en 1645 — Tête du sanglier.
5. Saint-pierre — Durée de huit jours.
6. Rivière de Suisse — Curium — Vallée des Pyrénées espagnoles.
7. Pronom démonstratif — Agencement de plis souples — Baie où se trouve Nagoya.
8. Mûri.
9. Domaine libre de toute redevance — Guide.
10. Partie aval d'une vallée — Strontium — Étain — Chrome.
11. Vin blanc — Distraite.
12. Peuple de la Sierra Leone — Ornement architectural.

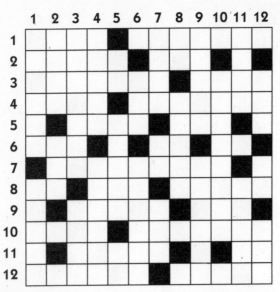

□ **Horizontalement** □

1. Historien d'art français mort en 1954 — Fleuve de la Côte d'Ivoire.
2. Qui se développe au-dessus du sol — Sorte de flan compact.
3. État d'Afrique occidentale — Berger sicilien aimé de Galatée.
4. Réalisateur de *Bambi* — Déchirant.
5. Ville d'Allemagne — Monnaie du Japon.
6. Rongeur — Cobalt — Petit fleuve côtier du nord de la France.
7. Délaver.
8. Indium — Prénom du défenseur Gill — Mention portée au dos d'un titre à ordre.
9. Champignon siphomycète — Divertissement.
10. Tribu israélite établie en haute Galilée — Dissension.
11. Ville des Pays-Bas — Hassium.
12. Dérivé carbonylé — Faux ébénier.

□ **Verticalement** □

1. Cromlech — Père d'Ésaü.
2. Capitale des Samoa occidentales — Acide désoxyribonucléique.
3. Charbon fossile — Cavité intercellulaire des végétaux.
4. Pasteur luthérien norvégien — Ville natale de Guy Lafleur.
5. Erbium — Ville du Lot-et-Garonne, en France — Étain.
6. Ville du Pérou — Plante aquatique originaire d'Amérique.
7. Groupe ethnique islamisé — Curium — Sigle d'une ancienne formation politique québécoise.
8. Sodium — Fabuliste grec.
9. Flottage du bois — Badin.
10. Criailler.
11. Rivière d'Allemagne — Terrain planté d'arbres fruitiers.
12. Sainte — Einsteinium — Point cardinal.

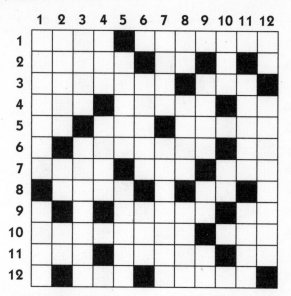

❑ Horizontalement ❑

1. Ville d'Algérie orientale — Corridor.
2. Ville des Bouches-du-Rhône, en France — Largeur d'une étoffe.
3. Célèbre marque française de produits cosmétiques — Lettre triple.
4. Port du Japon — Ancienne capitale du Népal — Rutherford.
5. Béryllium — Roulement de tambour — Ville de Maine-et-Loire, en France.
6. Éclisse servant à égoutter les fromages — Infinitif.
7. Port des États-Unis — Dynastie chinoise — Se rendra.
8. Bénéfice — Cobalt.
9. Cépage français réputé — Centigramme.
10. Cracher — Classification pour l'huile.
11. Rivière alpestre de l'Europe centrale — Touffe de rejets de bois — Praséodyme.
12. École des élites — Filet pour la pêche.

❑ Verticalement ❑

1. Résoluble — Capitale des Samoa occidentales.
2. Hampe d'une bannière — Rubidium — Radon.
3. Ardent — Chantourné.
4. Voile triangulaire d'un navire — Ville de la Loire, en France.
5. Oponce — Arbrisseau d'Amérique du Sud.
6. Âmes des morts, dans la religion romaine — Rage.
7. Ville de l'Aude, en France — Navet fourrager.
8. Sélénium — Vin blanc — Bord.
9. Prince troyen — Carat — Préposition.
10. Prière à la Sainte Vierge — Satellite.
11. Se tromper — Feuille de tabac.
12. Europium — Déplacer.

Jeu 102

	1	2	3	4	5	6	7	8	9	10	11	12
1								■			■	
2						■						
3			■									
4				■			■					
5											■	
6	■						■					
7												
8		■					■					
9					■							
10						■					■	
11					■							
12						■				■		

❑ Horizontalement ❑

1. Il a découvert la pénicilline — Symbole de l'Alberta.
2. Brande — Aux échecs, remit en place une pièce déplacée par accident.
3. Attaché — Archipel du Pacifique — Carte à jouer.
4. Début d'école — Roue à gorge — Unité monétaire japonaise.
5. Ville du Portugal — Résine extraite de la férule — Plutonium.
6. Ils m'appartiennent — Gendre de Mahomet — Saint-pierre.
7. Alertement.
8. Prière musulmane — Peintre italien.
9. Ordinateur — Partisan — Arbre du Chili dont l'écorce, utilisée en infusion, est tonique pour le foie.
10. Appareil de levage — Faire descendre.
11. Calife — Grand filet de pêche.
12. Qualité du papier — Brome.

❑ Verticalement ❑

1. Délicat — Repas, nourriture.
2. Célèbre marque française de produits cosmétiques — Équipe.
3. Société nationale italienne des pétroles présente dans 70 pays — Popote — Première épouse de Jacob.
4. Mendélévium — Qui est favorable à un retour à la culture africaine et à sa musique.
5. Ville de Belgique — Poussée.
6. Petit fleuve côtier du nord de la France — Octroi de la vie sauve à un ennemi.
7. Ancienne unité de mesure d'accélération — Ville de l'Aude, en France — Cheval assez trapu.
8. Cinéaste américain né en 1911 — Acteur français né en 1880.
9. Secours de dernière minute — Lutin des légendes scandinaves.
10. Palmier d'Afrique.
11. Ville du sud-est du Nigeria — Farder.
12. Tambour — Prêtresse d'Héra — Radon.

Jeu 103

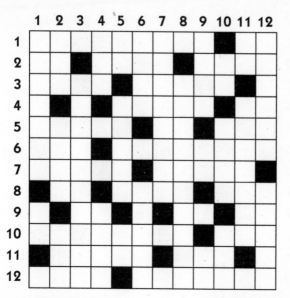

| | 1 | 2 | 3 | 4 | 5 | 6 | 7 | 8 | 9 | 10 | 11 | 12 |

▢ Horizontalement ▢

1. Petite masse de houille qui sert de combustible — *Nota bene*.
2. Voyelles — Ingénieur allemand né en 1832 — Coauteur du film *Nos voisins Dhantsu*.
3. Ancien nom de la Thaïlande — Ancienne province de France.
4. Extrémité d'une jambe de bois — Centigramme.
5. Édit promulgué par le tsar — Richesse — Onde.
6. Début d'espace — Désagréable, fâcheux.
7. Pomme de terre allongée — Idolâtre.
8. Radium — Type illuminé qui dirige une secte — Étang.
9. Métal argenté très dense (symbole) — Livre — Jeu d'origine chinoise.
10. Garou — Substance friable dans l'eau.
11. Ancien nom d'une partie de l'Asie Mineure — Lettre grecque.
12. Fleuve côtier de Normandie — Grade.

▢ Verticalement ▢

1. Arquer — Césium.
2. Chef — Village fortifié de l'Afrique du Nord — Façon.
3. Acclimatation.
4. Ville de l'Iran — Mère de la Sainte Vierge.
5. Note — Considérer — Ancêtre de la bicyclette.
6. Béquille — Plantes à feuilles dentées.
7. Veste en peau de mouton.
8. Rationaliser.
9. Irlande — Paresseux — Tangente.
10. Einsteinium — Ville du Morbihan, en France — Classification pour l'huile.
11. Sodium — Boucherie.
12. Petit sac à tabac — Femme de lettres française.

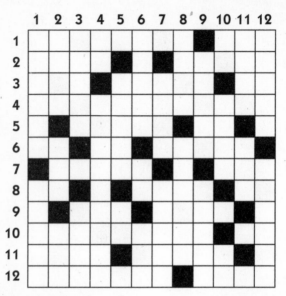

◻ Horizontalement ◻

1. Prise de sang — Ville du Mali.
2. Ville d'Algérie — Petite balle.
3. Incorporé — Chantre — Nanofarad.
4. Fouiller la terre, en parlant du blaireau.
5. Ville de Belgique —
   Pronom démonstratif.
6. Préposition — Sélénium —
   Roche constituée de coridon.
7. Poète lyrique grec —
   Agence métropolitaine de transport.
8. Début de roman — Danse originaire des
   îles de l'océan Indien — Rivière de
   France.
9. Rivière des Alpes — Animal au cœur
   de ce festival célébré à Comanesti,
   en Roumanie.
10. Négocier — Tantale.
11. Divisé en trois — Unité monétaire de la
    Lituanie.
12. Historien français né en 1625 —
    Conquistador espagnol.

◻ Verticalement ◻

1. Licencieux — Ponctuellement.
2. Fleuve côtier de Normandie —
   Cap d'Espagne — Acide ribonucléique.
3. Substance riche en calcaire — Dieu de
   l'ancienne Égypte.
4. Compagnie de chemin de fer du Canada
   — Alcaloïde toxique de certains
   champignons.
5. Chasse au pipeau — Carat.
6. Représentation d'une divinité —
   Préposition — Ville d'Allemagne.
7. Ville de France — Ancienne contrée de
   l'Asie Mineure.
8. Homme politique angolais né en 1922 —
   Plante des marais.
9. Ville de la Haute-Loire, en France —
   Ville du Pas-de-Calais, en France.
10. Germanium — Ville du Japon — Sur la
    boussole.
11. Ancienne mesure de longueur — Elle a
    repris le succès *Laisse-moi t'aimer*.
12. Ouverture — Fleuve d'Italie.

Jeu 105

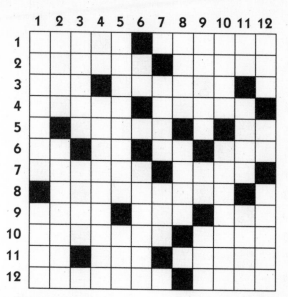

□ **Horizontalement** □

1. Ville d'Allemagne — Marbrer.
2. Aiguisé sur une meule — Ville du Liban.
3. Interjection — Variété de thon.
4. Petit vautour au plumage noir — Prêtre d'Alexandrie.
5. Ville du Pas-de-Calais, en France — C'est-à-dire.
6. Ultraviolets — Ancêtre de la bicyclette — Petit cube — Transistor à effet de champ.
7. Se dit du groupe le plus ancien des terrains tertiaires — Coche.
8. À-peu-près, équivoque.
9. Déficit — Terme d'échecs — Direct.
10. Qui souffle du nord, en Méditerranée orientale — Fils de Noé.
11. Titane — Maladie transmissible sexuellement — Lagune d'eau douce.
12. Précieux, sophistiqués — Partie la plus grossière du son.

□ **Verticalement** □

1. Plante fourragère graminée des prés et des bois — Tablette de métaldéhyde.
2. Second calife des musulmans — Dans les langues à déclinaisons, cas exprimant l'interpellation directe.
3. Localisation d'un gène — Partie interne d'un navire.
4. Que l'on doit — Expression orale incompréhensible.
5. Protéine présente dans les organismes animaux — International Telephone & Telegraph.
6. Voyelles — Guindé.
7. Plante herbacée exotique — Roulement de tambour.
8. Ancien émirat de l'Arabie — Tronc.
9. Compositeur français mort en 1925 — Ruthénium — Cheval demi-sang.
10. Poteau — Déambuler.
11. Abréviation du mot édition — Ville de Suisse — Clairsemé.
12. Mémoire vive — Einsteinium — Ville du nord-est de la Bulgarie.

Jeu 106

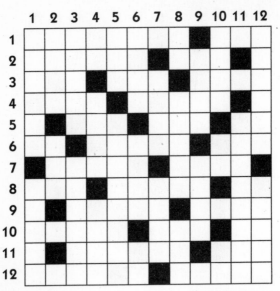

◻ Horizontalement ◻

1. Protection — Éloge (vieilli).
2. Douleurs physiques — Mesure agraire de superficie.
3. De Dieu, en latin — Freins — Influer.
4. Infus — Dép. de la région Picardie, en France.
5. Prénom masculin — Entrée de magasin — Direction de la rose des vents.
6. Préposition — Région centrale du Vietnam — Se dit du jazz joué avec force.
7. Variété de roche volcanique — Mordant.
8. Poutre — Médecin français né en 1774 — Tangente.
9. Petit mammifère — Patrie de Zénon.
10. Équipage accompagnant un personnage — Société de transport du Saguenay — Nanoseconde.
11. Plante aquatique originaire d'Amérique — Situé.
12. Pétard — Ville de Belgique.

◻ Verticalement ◻

1. Baguette mince et souple qu'on tient à la main — Insecte coléoptère de grande taille.
2. Ville de Belgique — Société protectrice des animaux.
3. Ville de la Savoie, en France — Façonner.
4. Pronom démonstratif — Poussée — Héroïne légendaire grecque, épouse d'Héraclès.
5. Première épouse de Jacob — Fente.
6. Habitation en bois de sapin — Homme politique angolais né en 1922 — Petit morceau cubique.
7. Couche intermédiaire de l'écorce terrestre — Ville du Rhône, en France.
8. Radium — Île des Philippines — Petit socle.
9. Cordon — Dans le calendrier romain.
10. Ville de la Loire-Atlantique, en France — Mercure — Sélénium.
11. Fortifier.
12. Vêtement que l'on portait par-dessus les autres au Moyen Âge — Plante herbacée.

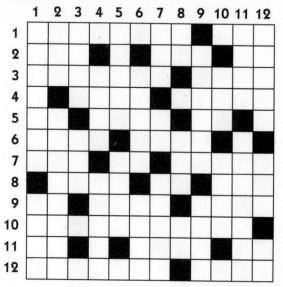

◘ Horizontalement ◘

1. Début de l'intestin grêle à la sortie de l'estomac — Symbole de l'unité de mesure décacoulomb.
2. Observatoire européen austral — Marcel Bich est l'inventeur de ce produit — Cérium.
3. Centre de direction — Héritier.
4. Rivière du sud de la France — Ville de Belgique.
5. Argent — Pharaon — Cale en forme de V.
6. Vase — Port des États-Unis.
7. Dynastie chinoise — Sélénium — Tumeur osseuse du canon du cheval.
8. Moye — Germanium — Bière blonde.
9. Interjection — Homme politique anglais né en 1788 — Dieu égyptien de Thèbes.
10. Subsidiaires.
11. Cube — Ville des Landes, en France — Entrée de spa.
12. Carambouille — Transmuter.

◘ Verticalement ◘

1. Déchaussé — Dénomination adoptée par un mouvement de révolte en 1916.
2. Commun — Faire un faux pli.
3. Astronome néerlandais mort en 1992 — Cap d'Espagne.
4. Urne — Plante vomitive.
5. Ville de Belgique — Ville de l'Orne, en France.
6. Géant, fils de Poséidon et de Gaia — Fils d'Isaac.
7. Roi stupide et cruel — Iridium — Renflement corné du sabot, chez les équidés.
8. Note — Baie où se trouve Nagoya — Aimée de Zeus.
9. Fil — Plante herbacée.
10. Oiseau palmipède — Feuillé.
11. Berger sicilien aimé de Galatée — Chien de berger.
12. Ville des Pyrénées-Orientales, en France — Monnaie du Japon — Praséodyme.

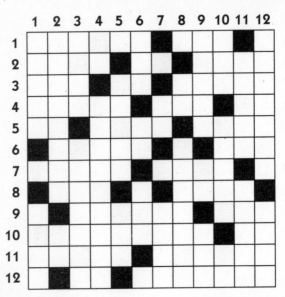

◻ **Horizontalement** ◻

1. Tronçon de bois gros et court — Chef.
2. État de l'extrémité orientale de l'Arabie — Écrivain japonais — Greffon.
3. Mèche de cheveux — Deux cents en chiffres romains — Paquebot de grande ligne.
4. Insecte hyménoptère — Plat indien — Stéradian.
5. Édouard — Souci — Ville du Maroc.
6. Pare-étincelles — Barrot.
7. Plongeon — Rivière d'Auvergne, en France.
8. République démocratique allemande — Ancienne arme de jet.
9. Écran — Lanka.
10. Dignité de grand d'Espagne — Arsenic.
11. Godet — Il a popularisé *Oh! Çarol!*
12. Erbium — Se soustraire à (Se).

◻ **Verticalement** ◻

1. Ville de la Haute-Savoie, en France — Chefs au-dessus du caïd.
2. Immodestie — Ruthénium.
3. Layon — Choix de l'image, en photographie.
4. Ligue nationale — Commanditer.
5. Onguent à base de cire et d'huile — Pesticide.
6. Camelote — Indium — Vedette de *La fureur de vaincre*.
7. Interjection — Asseau.
8. Lanthane — Stupéfier.
9. Ganses — Radium — Ville des Pays-Bas.
10. Rivière de Suisse — Profonds estuaires de rivière en Bretagne — Symbole de l'Alberta.
11. Créateur de la technique des courants polyphasés — Industriel américain né en 1819.
12. Cireux — Rivière du sud-ouest de l'Allemagne.

Jeu 109

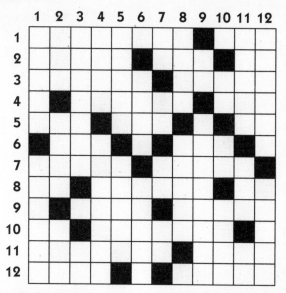

	1	2	3	4	5	6	7	8	9	10	11	12
1												
2												
3												
4												
5												
6												
7												
8												
9												
10												
11												
12												

❏ Horizontalement ❏

1. Manger par petits morceaux — Point.
2. Fleuve de Russie — Substance soluble dans l'eau — Rhésus.
3. Écrivain français — Cyprès chauve.
4. Attribué — Extrémité méridionale du plateau brésilien.
5. Sport de glisse — Ébranlé — Note.
6. Point cardinal — Taxe sur les produits et services.
7. Camaïeu — Vedette masculine de *L'éducation de Rita*.
8. Métal précieux — Institut — Nobélium.
9. Lac d'Éthiopie — Muscle du corps humain.
10. Sodium — Cireux.
11. Médecin anglais — Écrivain britannique décédé en 1883.
12. Fibre de noix de coco — Dieu grec de la Mer.

❏ Verticalement ❏

1. Ballot — Boisson.
2. Ville du Vietnam — Village fortifié de l'Afrique du Nord — Il a 15 ans.
3. Métal rare de numéro atomique 77 — Nombre romain.
4. Prêt à agir — Délustrer.
5. Fruit — Général et homme politique portugais.
6. Ensemble des cellules non reproductrices — État d'Afrique dirigé par Abbas El Fassi en 2007.
7. Préposition — Lutécium — Case postale — Radon.
8. Acquit — Lamie.
9. Peuple de l'île de Hainan — Assemblage de deux cordages par entrelacement.
10. Prométhium — Étain — Obstacle équestre.
11. Ville du Pas-de-Calais, en France — École — *Id est*.
12. Magistrat anglais — Glucide décomposable par hydrolyse.

Jeu 110

	1	2	3	4	5	6	7	8	9	10	11	12
1					■							
2						■					■	
3					■				■			
4		■				■						
5			■				■					
6		■			■			■				
7										■		
8	■											
9				■		■			■			
10			■									
11								■			■	
12					■							

◻ Horizontalement ◻

1. Économiste égyptien né en 1931 — Louche.
2. Destruction progressive du tissu osseux — Unité de mesure de la vitesse de modulation d'un signal.
3. Mari de Bethsabée — Action de marquer le bétail au fer rouge.
4. Grand perroquet aux couleurs vives — Largeur d'une étoffe — Gaz à effet de serre.
5. Institut géographique national — Guinguette — Sable de bord de mer.
6. Sodium — Étendue d'eau — Physicien français.
7. Introduire dans un support — Situé.
8. Partir — Consonnes jumelles.
9. Statue de l'art grec — Père.
10. Lutécium — Rongeur — Prénom de l'acteur qui a reçu l'Oscar du meilleur acteur pour son rôle dans *Harry et Tonto*, en 1975.
11. Pièce de charpente — Lawrencium.
12. Partie interne d'un navire — Condition du serf.

◻ Verticalement ◻

1. Pointu — Interjection imitant un bruit sec.
2. Extrémité méridionale du plateau brésilien — Tunique sans manches.
3. Nom donné à la Nouvelle-Guinée par l'Indonésie — Club de golf — Article espagnol.
4. Disconvenir — Fruit à saveur douce.
5. Chanvre de Manille — Paresseux.
6. Monochromes.
7. Auteur dramatique danois — Erbium — Rage.
8. Divinité protectrice chez les Romains — Ville des Pays-Bas.
9. Taux — Lithium — Radium — Nombre romain.
10. Indications de mouvement lent — Soldat français.
11. Assigner.
12. Homs — Étain — Petit socle.

Jeu 111

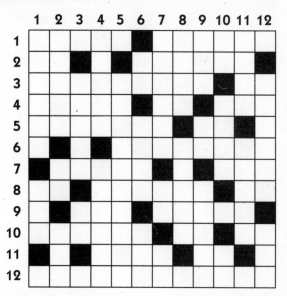

◻ Horizontalement ◻

1. Nom de l'équipe de la LNF évoluant à Détroit — Ville de la Marne, en France.
2. Cité légendaire bretonne — Ville de Belgique.
3. État d'Europe dont la capitale est Skopje — Nombre romain.
4. Fleuve d'Italie — Gallium — Homme politique français.
5. Recueillir — Pascal.
6. Il a découvert les rayons X.
7. Colorant d'un beau rouge orangé — Volcan du Japon.
8. Stéradian — Port d'Espagne — Étain.
9. Transistor à effet de champ — Ville de la Lozère, en France.
10. Animal marin — Sélénium — Nickel.
11. Un billion — Technétium.
12. Multiforme.

◻ Verticalement ◻

1. Liquide organique riche en protéines et en lymphocytes — Fils de Noé.
2. Prophète hébreu — Route rurale — Société nationale italienne des pétroles.
3. Écrivain français mort en 1958 — Mendélévium.
4. Taches congénitales sur la peau — Plaisant.
5. Dévaliser.
6. Molybdène — Peuple du Ghana — Plante herbacée annuelle.
7. Planche qui revêt le côté intérieur des membrures d'un navire — Lumen — Paresseux.
8. Ville d'Italie — Ville de la Corrèze, en France.
9. Ancien premier ministre de l'Ontario — Platine — Point culminant des Pyrénées.
10. Tangente — Ville du Japon — Chrome.
11. Branche de l'Oubangui — Ville d'Allemagne.
12. Ville de l'Eure, en France — Baie où se trouve Nagoya.

Jeu 112

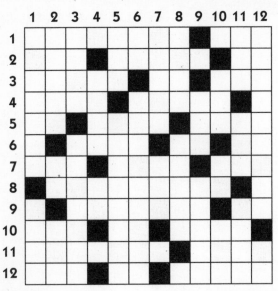

▢ Horizontalement ▢

1. Poids — Symbole de l'unité de mesure décacoulomb.
2. Double coup de baguette — Muse — Drame japonais.
3. Frapper — Prénom de l'actrice Derek — Femme de lettres américaine.
4. Prophète biblique avant Jésus-Christ — Enrobé de sucre.
5. Interjection — Composition de plâtre — Héroïne légendaire grecque, épouse d'Héraclès.
6. Port d'Italie — Sans quoi — Préposition.
7. Abréviation de route — Sphère d'un astre — Personne avare.
8. Combustion.
9. Enveloppe — Laize.
10. Chef au-dessus du caïd — Préposition — Ville d'Italie.
11. Échelle double — Ville de l'Espagne, dans la province de Pontevedra.
12. Substance friable dans l'eau — Route rurale — Père des Néréides.

▢ Verticalement ▢

1. Édulcorer — Unité monétaire principale de la Lettonie.
2. Docteur de la loi — Technétium — Guise.
3. Colocase — Le sein de l'Église.
4. Peuple de Djibouti et de la Somalie — Voyelles.
5. Réseau express régional — Fallacieux.
6. Iridium — Barder, blinder.
7. Plante qui contient un alcaloïde toxique — Unité de mesure calorifique.
8. Ville de Grande-Bretagne — Chas (pl.).
9. Île de l'Inde — Rogué.
10. Une des cyclades — Radon — Titre.
11. Ancienne capitale d'Arménie — Première épouse de Jacob — Ville de la Loire-Atlantique, en France.
12. Condensé — Écrivain japonais.

	1	2	3	4	5	6	7	8	9	10	11	12
1												
2												
3												
4												
5												
6												
7												
8												
9												
10												
11												
12												

❑ Horizontalement ❑

1. Pliage — Résine extraite de la férule.
2. Fleuve de Bretagne — Colline caillouteuse.
3. Aurochs — Douleur — Ville du nord-ouest de la Syrie.
4. Ville de la Loire-Atlantique, en France — Martini.
5. Plantes à fleurs jaunes ou blanches — 3,1416.
6. Tantale — Apathies.
7. Société de transport de Montréal — Vedette de *La fureur de vaincre*.
8. Bof — Ville du Morbihan, en France — Plutonium.
9. Escourgeon — Fleuve côtier de la Vendée.
10. Nicher — Frivole.
11. Personne qui change sans cesse d'opinions — Note — Erbium.
12. Capteur — Estoc.

❑ Verticalement ❑

1. Petit insecte — Insecte coléoptère de grande taille.
2. Peu fréquent — Roi de Juda — Furie.
3. Fleuve de Russie qui se jette dans la mer Blanche — Émanation du thorium.
4. Deux cents en chiffres romains — Ancien État situé dans le sud-ouest de l'Iran actuel — Filet pour la pêche.
5. Ville du Nord, en France — Ytterbium — Admis.
6. Totalitaire — Europium.
7. Ancienne unité de mesure d'accélération — Dégoutter.
8. Einsteinium — Signe typographique servant à indiquer ce qui est à supprimer.
9. Langue indo-européenne — Petit socle.
10. Affluent de l'Isère — Préposition — Peuple de l'île de Hainan.
11. Homme politique français — Apostille — Rang de pieux fichés en terre pour former une digue.
12. Architecte américain d'origine chinoise — Embout d'un soufflet.

Jeu 114

	1	2	3	4	5	6	7	8	9	10	11	12
1								■				
2							■					
3								■				
4				■							■	
5						■						
6		■		■								
7						■						
8			■				■					■
9									■			
10	■						■					
11				■				■				
12							■					

❑ Horizontalement ❑

1. Redevance — Navigateur portugais né en 1469.
2. Apparition de l'épi des céréales — Arbre de l'Amérique centrale.
3. Marquer de rides — Tour.
4. Première épouse de Jacob — Drupe globuleuse et oblongue — Béryllium.
5. Acarien, parasite extérieur des volailles — Cinéaste espagnol né en 1932.
6. Ville d'Italie — Californium.
7. Décibel — Desquamer — Réunion de musiciens qui improvisent.
8. Écrivain japonais — La sienne — Fils d'Isaac.
9. Fiel — Mollusque bivalve marin.
10. Naturaliste suédois né en 1707 — Multitude.
11. Plante dont on nourrit les oiseaux — Rivière de Suisse.
12. Cantine — Cité ancienne de la Basse Mésopotamie — Prince légendaire troyen.

❑ Verticalement ❑

1. Il a popularisé *Le petit roi* — Prométhium.
2. Aspect du papier — Bidon servant au transport du lait.
3. Grève — Sociologue allemand mort en 1990.
4. Mois — Peintre et sculpteur français — Rivière des Alpes autrichiennes.
5. Cécités psychiques — Symbole de l'unité de mesure nit.
6. Ville de Belgique — Voussoir.
7. Renforcement momentané du vent — Iridium.
8. Commandement — Écrivain français né en 1823.
9. Dénué d'intelligence — Confiant.
10. Façon — Plante ornementale.
11. Adjectif possessif — Ville de Roumanie — Sur la boussole.
12. Couperose — Fermium — Guide.

Jeu 115

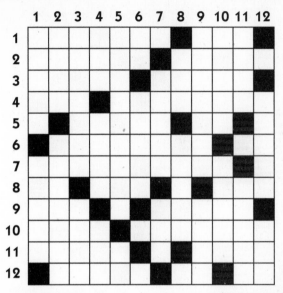

◻ Horizontalement ◻

1. Grand oiseau échassier d'Amérique du Sud — Maîtrise en administration des affaires.
2. Taro — Pyramide de pierres élevée par des alpinistes.
3. Ancienne capitale du Népal — Ruban.
4. Interjection espagnole — Véranda.
5. Outil pour le levage des pierres de taille — Germanium.
6. Robe très ajustée — Radium.
7. Ancestral.
8. Diminutif d'Edward — Bruit — Insémination artificielle avec donneur.
9. Style de musique — Balisier.
10. Unité monétaire du Cambodge — Brimborion.
11. Étoffe croisée de laine — Greffe.
12. Exercer une action en justice — Praséodyme — Écrivain japonais.

◻ Verticalement ◻

1. Fibre végétale soyeuse et légère — Revêtement en pierres sèches.
2. Grand lac salé d'Asie — Platitude.
3. Mataf — Ville de Hongrie.
4. Ville du Pérou — Mammifère carnivore — Portion.
5. Officier qui commandait une centurie — Règle de dessinateur.
6. Hélium — Ville des Côtes-d'Armor, en France.
7. Garnir — Navigateur portugais.
8. Conjonction — Roi d'Israël.
9. Capitale du Nicaragua — Disconvenir.
10. Long canal d'irrigation — Tissu en armure toile.
11. Dieu grec de la Guerre — Architecte finlandais.
12. Grande antilope africaine — Lettre triple.

Jeu 116

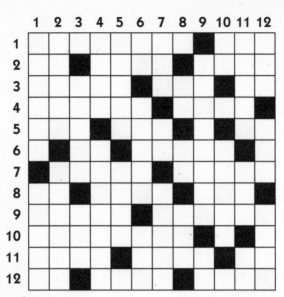

□ Horizontalement □

1. Chaleur humide et étouffante — Limite.
2. Ytterbium — Ville d'Espagne — Trouble de l'appétit.
3. Ville de la Corse-du-Sud — Confiant — Pronom personnel.
4. Évagination — Cuvette.
5. Canton de Suisse centrale — En plus (En) — Nazi.
6. Calcium — Ville d'Italie.
7. Mesure d'environ une paume — Acteur français d'origine suisse né en 1895.
8. Chrome — Vent d'ouest dans le bas Languedoc — Architecte américain d'origine chinoise.
9. Unité monétaire de la Lituanie — Calibrer.
10. Qui a rapport à la luette.
11. Port du Maroc — Ville de l'Iran — Apostille.
12. Einsteinium — Neuvième heure du jour — Ouverture donnant passage à l'eau.

□ Verticalement □

1. Maladie infectieuse — Gorge transversale dans un pli anticlinal.
2. Arbrisseau du genre viorne — Ville de France où l'on célèbre le Festival national d'archéologie.
3. Port du Chili septentrional — Peprino.
4. Petit voilier — Qui contient une base.
5. Propre — Plateau formé par les restes d'une coulée volcanique.
6. Europium — Mathématicien suisse né en 1707 — Cavalier canadien qui a participé à neuf Jeux olympiques.
7. On les mentionne toujours avant les autres — Sélénium — Rivière de France.
8. Note — Cæsium — Première épouse de Jacob.
9. Source — Kaon.
10. Pronom démonstratif — Homs.
11. Contrats — Oiseau palmipède — Paul-Émile.
12. Ville des Pyrénées-Atlantiques, en France — Unité monétaire japonaise — Fleur au cœur du festival célébré à Chédigny.

	1	2	3	4	5	6	7	8	9	10	11	12
1												
2												
3												
4												
5												
6												
7												
8												
9												
10												
11												
12												

❏ Horizontalement ❏

1. Poisson voisin de la raie — Île croate de l'Adriatique.
2. Ville de Bolivie — Ville du Calvados, en France — Interjection.
3. Noyau de la Terre — Attacher.
4. Fruit comestible — Paresseux — Notez bien.
5. Prophète — Agence métropolitaine de transport.
6. Fureur — Dieu égyptien de Thèbes.
7. Ville d'Autriche — Se dit d'une écriture composée de lettres capitales.
8. Einsteinium — Elle a popularisé *For Your Eyes Only* — Argent.
9. Juif né en Israël — Forêt de type amazonien.
10. Square — Destruction d'éléments organiques.
11. Ver plat et segmenté — Ville du Japon.
12. Hagard — Impératrice d'Orient.

❏ Verticalement ❏

1. Filet pour la chasse aux perdrix — Explication.
2. Fenêtre faisant saillie — Peuple de Djibouti et de la Somalie.
3. Entremetteur — Ville de Grèce.
4. Plante cryptogame — Marquer de lignes sinueuses.
5. Prêtresse d'Héra, aimée de Zeus — Étendue sableuse.
6. Ville de Suisse.
7. Ensemble de fibres — Poème.
8. Génie malfaisant, dans la mythologie arabe — Enveloppe destinée à conserver la chaleur d'une théière.
9. Partie d'un canal entre deux écluses — Droit de primogéniture.
10. Un de ses albums s'intitule *Precious* — Cinéaste britannique né en 1908.
11. Port du Yémen — Nom de rois de Norvège — Germanium.
12. Homme d'âge plus que mûr — Port d'Italie.

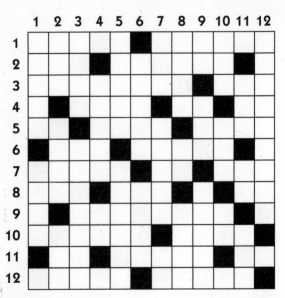

Jeu 118

	1	2	3	4	5	6	7	8	9	10	11	12
1												
2												
3												
4												
5												
6												
7												
8												
9												
10												
11												
12												

◻ Horizontalement ◻

1. Naturaliste suédois né en 1707 — Région du sud-est de la France.
2. Roi de Hongrie — Factitif.
3. Adorateur des animaux — Tesson.
4. Grivois — Adjectif possessif — Route rurale.
5. Deux en chiffres romains — Nom de deux détroits du Danemark — Averti.
6. Monseigneur — Général et homme politique portugais.
7. Ville de l'Inde — Bonne action — Ouille.
8. Supporte la tête — Agence spatiale européenne — Parti politique.
9. Décrépitude.
10. Région d'Italie, au sud du Pô — Sagesse.
11. Indium — Vautour de petite taille — Sur la Marne.
12. Homme politique néerlandais mort en 1988 — Oxyde bleu de cobalt.

◻ Verticalement ◻

1. Plaisanterie moqueuse — Instrument.
2. Peuple noir du Nigeria oriental — Inhibiteur de la monoamine — Assemblée russe.
3. Salle centrale du temple — Oxyde de béryllium.
4. Poisson marin — Aluminium.
5. Enveloppe coriace — Majeur.
6. Singe d'Amérique — Dégoutter.
7. Confiant — Plante qui contient un alcaloïde toxique — Coutumes.
8. Dieux guerriers de la mythologie scandinave — Sodium — Habitation en bois de sapin.
9. Commandement — Résine extraite de la férule — Petite balle.
10. Rivière de Roumanie — Roi de Juda — Préposition.
11. Unité de mesure de travail — Prêtresse d'Héra, aimée de Zeus — Classification pour l'huile.
12. Civilité.

Jeu 119

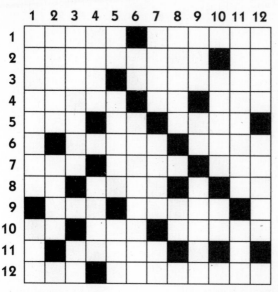

◻ Horizontalement ◻

1. Enceinte demi-circulaire de filets — Unité monétaire israélienne.
2. Sustenter — Nickel.
3. Ville des Alpes-Maritimes, en France — Vêtement féminin.
4. Prophète juif — Lanthane — Ville d'Israël.
5. Observatoire européen austral — Expert — Empereur de Russie.
6. Médecin et psychanaliste français mort en 1981 — Massif de la Suisse.
7. Éloge (vieilli) — Femme de lettres française — Nouveau.
8. Einsteinium — Fleuve de Russie long de 1024 km — Radon.
9. Substance friable dans l'eau — Dévidoir des cordiers.
10. La sienne — Baie des côtes de Honshu — Ulcération superficielle.
11. Écrivain français mort en 1982.
12. Résine extraite de la férule — Attaquer, assailir.

◻ Verticalement ◻

1. Petite vanne d'écluse — Ville de Belgique.
2. Sociologue allemand mort en 1990 — Montagne de Thessalie.
3. Réalisateur du film *Le lauréat* — Paul-Émile.
4. Oiseau — Exercice d'assouplissement.
5. Tellure — Territoire portugais sur la côte de la Chine — Lanka.
6. Nanocoulomb — Membre d'une secte juive conservatrice, rivale des pharisiens.
7. Avion à décollage et à atterrissage courts — Ville du Japon — Cæsium.
8. Ville d'Afghanistan — Radium.
9. Légumineuse — Stéradian — État d'Asie dirigé par Ram Baran Yadav en 2008.
10. Prénom de l'auteur du livre *Des barbelés dans ma mémoire* — Thermie.
11. Embarrasser — Petit socle.
12. Romance chantée — Ancien nom d'une partie de l'Asie Mineure.

Jeu 120

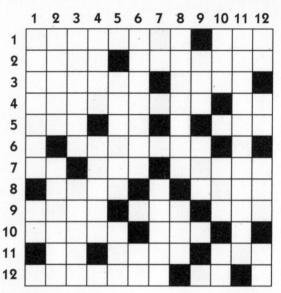

◻ Horizontalement ◻

1. Drapeau — Circonstance.
2. Ennui — Plante aux feuilles comestibles.
3. Juger — Ville de la Russie.
4. Confus — En chimie, suffixe qui désigne les alcools.
5. Première épouse de Jacob — Symbole du Territoire du Yukon — Ville du Pérou.
6. Poésie.
7. Diminutif d'Edward — Abréviation de route — L'ancienne Estonie.
8. Ville de France — Fourrage.
9. Égoïne — Forme larvaire de certains crustacés — Préfixe qui signifie « avec ».
10. Ville de la Somme, en France — Ancien nom de Tokyo.
11. Règle de dessinateur — Vitesse acquise d'un navire — Hep !
12. Talisman — Strontium.

◻ Verticalement ◻

1. Petite éminence à la surface d'une muqueuse — Antimoine.
2. Étendue sableuse — Rabais.
3. Treuil vertical — Ligne de jonction du pont et de la coque d'un navire.
4. Ville de Roumanie — Ville de la Mayenne, en France.
5. Pays d'Afrique dont l'unité monétaire est la livre — Désobligeant.
6. Jeune femme élégante et facile — Rhésus.
7. Restes — Lagune d'eau douce.
8. Sorte d'orchidée sans chlorophylle — Ville du sud-ouest du Nigeria.
9. Emportement — Navire de guerre.
10. Explication — Rasette — Praséodyme.
11. Octrois.
12. Sélénium — Lanthane — Rivière de Suisse — Tantale.

	1	2	3	4	5	6	7	8	9	10	11	12
1						■						■
2				■					■			
3								■				
4				■			■				■	
5		■		■					■			
6			■			■					■	
7					■							
8	■						■					
9			■			■					■	
10					■							
11					■				■			
12								■				

❑ Horizontalement ❑

1. Poète italien mort en 1535 — Criminel.
2. Pièce maîtresse de la charrue — Terrains que la mer laisse à découvert — Coup, au tennis.
3. Fragment de roche vitreuse — Peintre italien né en 1615.
4. Ville de la Russie.
5. Pointilliste.
6. Nombre romain — Poète italien né en 1883.
7. Sylphe — Inutilité.
8. Acidoses.
9. Radium — Groupe qui a popularisé *Poker*.
10. Coups de soleil — Cycle des saisons.
11. Vallée des Pyrénées espagnoles — Peintre français qui est l'un des maîtres de l'impressionnisme.
12. Ville française — Homme politique français — Réalisateur du film *Erreur sur la personne*.

❑ Verticalement ❑

1. Long tremplin utilisé par les acrobates — Homme politique autrichien.
2. Ville de Hongrie — Ville du Nigeria — Direct.
3. Procès-verbal de conventions entre deux puissances — Poisson plat des mers froides.
4. Thallium — Désobligeant — Indium.
5. Rivière de l'Asie — Tantale — Acide ribonucléique.
6. Bilieux.
7. Oiseau — Peintre espagnol né en 1601 — Petit socle.
8. Einsteinium — Potentiel hydrogène — Ville des Pays-Bas.
9. Infus — Rasette.
10. Plante des climats chauds — Baie où se trouve Nagoya — Vache mythique.
11. Éloge (vieilli) — Fleuve côtier des Pyrénées-Orientales — Divinité protectrice chez les Romains.
12. Fruit charnu — Séquence d'un gène codant pour une protéine.

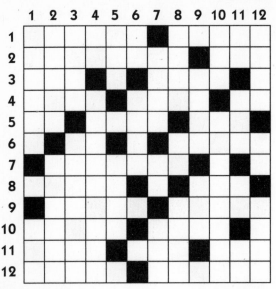

◻ Horizontalement ◻

1. Longue et profonde dépression sous-marine — Chanvre de Manille.
2. Soutenir par un câble — École de technologie supérieure.
3. Unité monétaire de la Suède — Cinéaste autrichien mort en 1976.
4. Mammifère ongulé omnivore — Trouble de l'appétit — Route rurale.
5. Indium — Homme politique coréen — Musique originaire d'Algérie.
6. Nombre romain — Physicien pakistanais, prix Nobel en 1979.
7. Mammifère carnivore d'Afrique.
8. Jeu de cartes — Physicien allemand né en 1789.
9. Compositeur américain — Ouvertures latérales d'un violon.
10. Port d'Espagne — Unité monétaire de l'Arménie.
11. Ville de Lot-et-Garonne, en France — Classification pour l'huile — Se rendra.
12. Poète français mort en 1959 — Substance qui recouvre l'ivoire.

◻ Verticalement ◻

1. Compositeur polonais — Limite.
2. Baseballeur qui a frappé 755 circuits en carrière — Remise.
3. Peuple du Soudan — Égayer.
4. Ytterbium — Jupon bouffant.
5. Organisation armée secrète — Sculpteur français.
6. Consonnes jumelles — Partie basse de Budapest.
7. Prophète hébreu — Tantale — Symbole de l'unité de mesure décacoulomb.
8. Eau-de-vie — Sélénium — Bord.
9. Ville du Japon — Organisation de l'unité africaine.
10. Société de construction électrique allemande — Suite complexe de transformations.
11. Carat — Partie aval d'une vallée — Pronom personnel — Radon.
12. Tribu israélite établie en haute Galilée — Mendélévium — Style d'improvisation vocale.

	1	2	3	4	5	6	7	8	9	10	11	12
1												
2												
3												
4												
5												
6												
7												
8												
9												
10												
11												
12												

❏ Horizontalement ❏

1. Serrer de près — Style d'improvisation vocale.
2. Cité antique de la Basse Mésopotamie — Cuir d'aspect velouté.
3. Ville du Soudan — Grand vautour des Andes.
4. Vallée des Pyrénées espagnoles — Extrémité effilée d'un récipient.
5. Poisson de la Méditerranée — Plutonium.
6. Fleuve de France — Congélation des eaux — Désigner à une dignité.
7. Gros paquet de marchandises — Ville de la Loire, en France.
8. Apéritif — Action de retirer.
9. Vêtement renversé — Ancien premier ministre de l'Ontario.
10. Groupe de personnes réunies devant un auditoire — Architecte américain d'origine chinoise — Bande de fréquences publique.
11. Avarice sordide — Substance soluble dans l'eau.
12. Solvant — Homme misérable.

❏ Verticalement ❏

1. Hache — Journaliste espagnol.
2. Regimber — Fils d'Abraham.
3. Ville du Pas-de-Calais, en France — Végétation des sous-bois.
4. Fleuve de Russie qui se jette dans la mer Blanche — Homme politique français né en 1833.
5. Commun — Inventeur et physicien américain — Prénom masculin.
6. Europium — Danser — Radon.
7. Procès-verbal de conventions entre deux puissances — Électronvolt — Oiseau.
8. Instruit — Estoc.
9. Unité monétaire japonaise — Fleuve de la République tchèque et d'Allemagne.
10. Interjection — Prêtresse d'Héra — Sélénium.
11. Volcan actif du Japon — Avertir.
12. Ville de Haute-Normandie, en France — Général français né en 1758.

Jeu 124

□ **Horizontalement** □

1. Orateur — Terzetto.
2. Organisation de l'unité africaine — Instrument de musique.
3. Ridicule.
4. Pronom personnel — Rauquement.
5. Petite construction élevée sur le pont d'un navire — Évacuation de selles de couleur très foncée.
6. Fort — Jumelles.
7. Bouchon.
8. Ville du sud-est du Nigeria — Produit de dégradation des acides aminés de l'organisme — Conscience.
9. Jeu d'origine chinoise — Canton de Suisse centrale — Mer.
10. Peintre et sculpteur français — Il a chanté *Wild World* — Samarium.
11. Adjectif possessif — Acteur et metteur en scène de théâtre français — Compagnie.
12. Observatoire européen austral — Se bourrer.

□ **Verticalement** □

1. Isoler les fibres textiles — Président du Rwanda élu en 2000.
2. Fenêtre — Ville de Suède.
3. Onde — Ville de Turquie.
4. Dessinateur humoriste français.
5. Anneau de cordage — Poils au-dessus de l'orbite.
6. Ville de l'Iran — Course motocycliste d'obstacles.
7. Jeu de hasard — Vaccin contre la typhoïde.
8. Il incite à swinguer la baquaise à Noël — Espace économique européen — Radium.
9. Tangente — Ville de l'Oise, en France — Germanium.
10. Panse — Ancien premier ministre de l'Ontario — Chrome.
11. C'est-à-dire — Élégant, distingué — Contrée balkanique de l'Europe ancienne.
12. Carat — Oiseau — Ville du Loir-et-Cher, en France.

Jeu 125

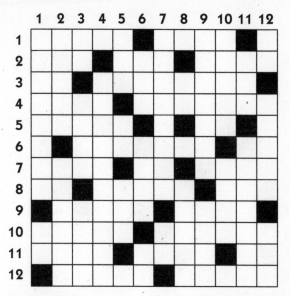

◻ Horizontalement ◻

1. Extrémité d'une jambe de bois — Devin.
2. Virus du sida — Poisson d'eau douce — Ville de Seine-et-Marne, en France.
3. Éminence — Petits cubes constituant les éléments d'une mosaïque.
4. Ombrée — Officier de police judiciaire.
5. Vesceron — Platine.
6. Mollusque — Cæsium.
7. En outre — Pronom anglais — Disque.
8. Dieu solaire — Action de soulever un corps à l'aide d'un levier — Atoll.
9. Joyeux compagnon — Roulé, au golf.
10. Diplomate britannique — Coquin, drôle.
11. Amas de sporanges sous la feuille d'une fougère — Graisse animale — Radium.
12. Mollusque gastéropode carnassier — Capitale de l'Oregon.

◻ Verticalement ◻

1. Tomber — Préposition.
2. Pièce de vers satiriques — Matière plastique fluorée.
3. Nombre romain — Vallée des Pyrénées-Atlantiques — Ville de l'Inde.
4. Modèles.
5. Rien — Europium — Officier de Louis XV.
6. Symbole de l'unité de mesure décacoulomb — Économiste français — Sélénium.
7. Désillusion — Muon.
8. Cité ancienne de la Basse Mésopotamie — Grossier.
9. S'emballer — Ville de Turquie.
10. Conduit ménagé dans un moule de fonderie — Ville du Japon.
11. Grivois — Formation.
12. Parti politique — Vide — Biochimiste danois, prix Nobel en 1943.

Jeu 126

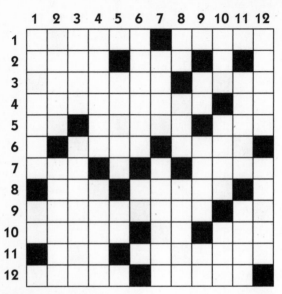

❑ Horizontalement ❑

1. Plat fait de morceaux de viande — Ville du nord-ouest de la Bulgarie.
2. Descente — Sur la boussole.
3. Moulu — Substance filiforme.
4. Combinaison — Tour.
5. Sans quoi — Ville du Cantal, en France — Classification pour l'huile.
6. Circonscription administrative de la Grèce antique — Traverse.
7. Rivière de l'Éthiopie — Fleuve côtier du sud de la France.
8. Interjection exprimant le soulagement — Présidente de l'Inde élue en 2007.
9. Fourreur — Interjection.
10. Occlusion intestinale — Radon — Dynastie chinoise.
11. Enduit durcissant par dessiccation — Requin des côtes de France.
12. Père des Néréides — Fruit comestible.

❑ Verticalement ❑

1. Vibrato — Lettre grecque.
2. Ville de Suisse — Substance molle.
3. Ville du Loiret, sur la Loire, en France — Affliction.
4. Parler propre à une région — Piccolo.
5. Groupe de notes émises d'un seul souffle — Einsteinium.
6. Entaille — Platine.
7. Fleuve de Russie — Petit poisson vivant dans les eaux courantes.
8. Cale en forme de V — Abréviation de route — Ville de la Haute-Loire, en France.
9. Sélénium — Pareil — Hafnium.
10. Écrivain et nouvelliste finlandais — Premier roi des Hébreux — Argile ocreuse.
11. Médecin français né en 1774 — Cri de dérision.
12. Pénible — Aspect du papier.

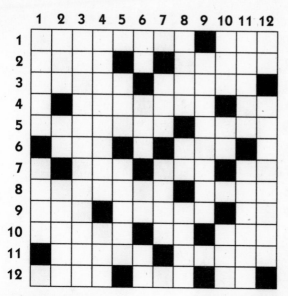

	1	2	3	4	5	6	7	8	9	10	11	12
1												
2												
3												
4												
5												
6												
7												
8												
9												
10												
11												
12												

◻ Horizontalement ◻

1. Lézarde — Rivière alpestre de l'Europe centrale.
2. Ancienne mesure de longueur — Jeu de cartes.
3. On célèbre ce festival à Victoriaville et à Joly — Mollusque.
4. Chouette blanche — Césium.
5. Dur — Ville la plus peuplée de la Syrie.
6. Simple soldat — Tollé.
7. Cent — Grand perroquet — Fer.
8. Crisser — Écrivain français né en 1919.
9. Roue à gorge — Brûler — Nickel.
10. Compositeur belge — Or — Pesticide.
11. Port d'Allemagne — Poisson osseux des mers tropicales.
12. Ville d'Italie — Explication — Xénon.

◻ Verticalement ◻

1. Destruction progressive du tissu osseux — Ville de l'Inde.
2. Plante des prés vivace — Jumelles — Compositeur et violoniste français né en 1666.
3. Zèle.
4. Maturation des fruits — Poisson allongé aux nageoires rouges.
5. Richesses — Ville de Belgique.
6. Scandium — Fédération des travailleurs du Québec — Europium — Nombre romain.
7. Classification pour l'huile — Difficulté.
8. Ville de Grande-Bretagne — Chrome — Ville de Bulgarie.
9. Querelle.
10. Colère — Peuple de l'île de Hainan — Ville des Landes, en France.
11. Légat — Mouler.
12. Aux limites de la nuit — Inflammation de la rate.

Jeu 128

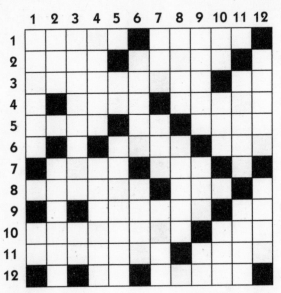

◻ Horizontalement ◻

1. Manufacturé — Ville de Colombie méridionale.
2. Lac d'Italie — État de l'Inde.
3. Qui relève des fonctions psychophysiologiques dans leurs différentes modalités — Travailleur social.
4. Tribu israélite établie en haute Galilée — Compositeur français mort en 1925.
5. Mari de Bethsabée — Sinon — Empereur de Russie.
6. Projet de loi du Parlement anglais — Aurochs.
7. Ville du Jura, en France — Extrémité méridionale du plateau brésilien.
8. Érosion — Allez, en latin.
9. Jaune — Caravane.
10. Écriture — Racaille.
11. Astreindre — Rivière d'Auvergne, en France.
12. À moi — Dieu grec de la Mer.

◻ Verticalement ◻

1. Qui ne sert à rien, vain — Brome.
2. Commun — Noyer.
3. Chair de grand gibier — Rutherford.
4. Canasson — Région de l'Italie centrale.
5. Écrivain japonais — Plante cultivée pour son feuillage décoratif.
6. Équipage accompagnant un personnage — Entretoise.
7. Unité de pression mécanique — Ville d'Allemagne — Ville de Lot-et-Garonne, en France.
8. Dieux guerriers de la mythologie scandinave — Largeur d'une étoffe entre les deux lisières.
9. Prière musulmane — Abréviation de route — Chrome.
10. Thulium — Ville du Japon — Vedette de La fureur de vaincre.
11. Coiffure de forme conique — Ville du Calvados, en France.
12. Département de la région Rhône-Alpes, en France — Bord.

Jeu 129

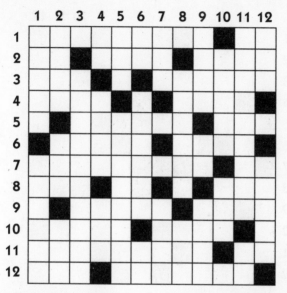

❏ Horizontalement ❏

1. Capitaine — Deux cents en chiffres romains.
2. Argon — Nom donné dans la Genèse à la Syrie — Société nationale italienne d'électricité et plus important producteur d'énergie géothermique au monde.
3. Procris — Préparation mystérieuse, réservée aux adeptes.
4. Piton de roches dures — Rivière de Bretagne, affluent de la Vilaine.
5. Frison — Fils aîné de Noé.
6. Tumeur osseuse du canon du cheval — Ville de la Loire, en France.
7. Araignée du genre lycose — Néodyme.
8. Régime d'épargne-retraite — Ut — Petit singe.
9. Conduit ménagé dans un moule de fonderie — Ville du Maroc.
10. Buse d'aérage — Filet pour prendre des oiseaux.
11. Francisque — Platine.
12. Âge — Répétition d'un sujet déjà traité.

❏ Verticalement ❏

1. Agneline — Coquillage univalve.
2. Fleuve côtier de Normandie — Classification pour l'huile — Rivière de Suisse.
3. Conjoncture.
4. Commandement — Statue de jeune fille, typique de l'art grec archaïque — Rivière de Slovaquie, affluent du Danube.
5. Légumineuse — Compenser.
6. Tantale — Broderie en forme de dent — Île de l'Atlantique.
7. Elle s'est fait connaître grâce à *Baila* — Fort.
8. Unité monétaire équivalant à 100 kopecks — Onde.
9. Acquit — Écrivain japonais — Composition de plâtre.
10. Mollusque gastéropode carnassier — Partie d'un canal entre deux écluses.
11. Séculaire — Paul-Émile.
12. Explication — Ville de Belgique.

Jeu 130

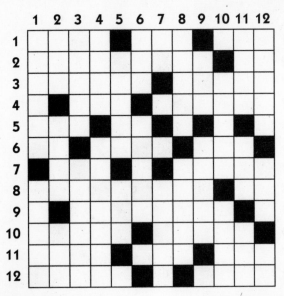

▭ Horizontalement ▭

1. Ville du Morbihan, en France — Lui, elle — Symbole de l'unité de mesure décacoulomb.
2. Danse — Sodium.
3. Bouteille mince et allongée — Auteur de l'ouvrage *Le Conte*.
4. Muet — Rauquer.
5. Poisson — Éminence.
6. Francium — Résidu pâteux de la houille — À lui (pl.).
7. Salutation angélique — Banlieue de Buenos Aires.
8. Hommage — Cobalt.
9. Évacuer le contenu d'un réservoir.
10. Fleuve d'Italie — Île de l'indonésie.
11. Poteau — Homme politique français — Cheval demi-sang utilisé pour la selle.
12. Aigrelet — Layon.

▭ Verticalement ▭

1. Petite embarcation légère — Insecte coléoptère de grande taille.
2. Bâton pastoral en forme de béquille — Fleuve d'Afrique — Île de l'Inde.
3. Ville d'Italie — Réservoir.
4. Compositeur français mort en 1892 — Jeu de cartes.
5. Acteur français mort en 1989 — Ville des Pays-Bas.
6. Classification pour l'huile — Bouillie épaisse.
7. Parti politique — Géant, fils de Poséidon et de Gaia.
8. Conceptuel — Crustacé voisin des cloportes.
9. Ébranlé — Ville du Luxembourg méridional.
10. Ville de Suisse — Cap du Portugal.
11. Prénom de l'auteure québécoise de *Kamouraska* — Jus — Chef.
12. Passe-partout — Ridicule — Béryllium.

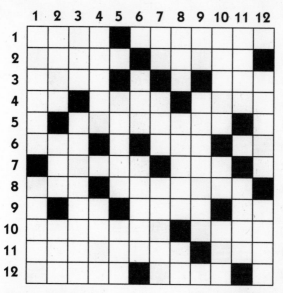

❏ Horizontalement ❏

1. Masse d'une matière moulée — Publicité tapageuse.
2. Compositeur belge — Fleuve de Bretagne.
3. Engrais azoté — Monceau.
4. Six en chiffres romains — Grande civière — Cellule grillagée pour le stockage des épis de maïs.
5. Anatife.
6. Direction de la rose des vents — Association canadienne des automobilistes — Iridium.
7. Victime — Opération de classement.
8. Roulement de tambour — Vigile.
9. Aluminium — Âme des ancêtres — Restes.
10. Appuyer — Mollusque bivalve marin.
11. Instrument de chamoiseur — Ancien premier ministre de l'Ontario.
12. Violoniste russe naturalisé américain né en 1920 — Tache opaque de la cornée.

❏ Verticalement ❏

1. Indigent — Insecte coléoptère de grande taille.
2. Asile — Ville de Belgique — Il a popularisé *Father And Son*.
3. Baie où se trouve Nagoya — Anatife.
4. Variété de haricot africain — Muscardin.
5. Écrivain allemand — Canal de sports.
6. Acide ribonucléique — Architecte et designer américain né en 1907.
7. Petit fleuve côtier du nord de la France — Symbole de l'unité de mesure décacoulomb — Jeu de cartes.
8. Roche poreuse légère — Poupée — Sodium.
9. Thallium — Lascif.
10. Endroit où habite une personne peu sociable — *Id est* — Rage.
11. Oiseau — Ensemble des cellules non reproductrices.
12. Nervi — Ville de l'Orne, en France.

Jeu 132

	1	2	3	4	5	6	7	8	9	10	11	12
1										■		
2				■		■						■
3				■								
4			■					■				
5		■										
6	■						■					
7				■			■					
8			■		■							■
9			■			■						
10			■		■							
11			■									
12					■							■

❏ Horizontalement ❏

1. Monument élevé à la mémoire d'un mort et qui ne contient pas son corps — Californium.
2. Pronom personnel — Massif de l'Algérie orientale.
3. Écrivain politique français — Pièce de tissu placée sous le drap.
4. Pronom personnel — Ville de l'Inde — Crochet.
5. Terreux — Unité de mesure thermique.
6. État d'Afrique dirigé par Abbas El Fassi en 2007 — Massacre.
7. Monnaie d'or frappée en Iran — Alezan — «Est» anglais.
8. Unité monétaire de la Suède — Qui comporte deux unités — Radon.
9. Rubidium — Rivière du Bassin aquitain — Fidèle.
10. Écrivain algérien né en 1920 — Lance de tribus primitives.
11. Dieu solaire — Urus — Fleuve d'Afrique.
12. Ville de la Mayenne, en France — Ville de Turquie.

❏ Verticalement ❏

1. Pince à deux branches — Câbler.
2. Affluent de la Seine — Fromage de lait de vache.
3. Une des cyclades — Pièce mécanique.
4. Monnaie du Nigeria — Béryllium.
5. Tantale — Admonestation.
6. Aréquier — Berceau d'Abraham.
7. Archipel du Pacifique — Instrument à vent en bois.
8. Ville du Vietnam — Bras méridional du delta du Rhin — Ancienne capitale d'Arménie.
9. De Haute-Écosse — Ancêtre de la bicyclette — Faubourg.
10. L'ancienne Estonie — Écrivain britannique né en 1814.
11. Cæsium — Symposium.
12. Procès-verbal de conventions entre deux puissances — Première épouse de Jacob.

Jeu 133

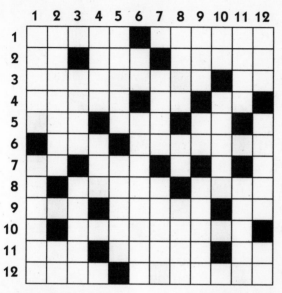

◻ Horizontalement ◻

1. Fluide frigorifique — Exécuter rapidement un tableau.
2. Voyelles — Partie d'un canal entre deux écluses — Canasson.
3. Maître-queux — Thulium.
4. Port de la Corée du Sud — Sélénium — Cérium.
5. Grand arbre de l'Inde — Espace économique européen — Bonne action.
6. De Dieu, en latin — Dépravé.
7. Laize — Sorte de cabriolet.
8. Peintre et théoricien italien mort en 1966 — Haut plateau des Andes.
9. Mollusque bivalve — Plante aquatique — Pronom anglais.
10. Promptitude.
11. Époque — Fabuliste grec — Note.
12. Dégoutter — Se dit d'un cheval dont le dos se creuse.

◻ Verticalement ◻

1. Algue brune — Séjour des âmes des justes.
2. Charcuterie cuite cylindrique — Ruthénium.
3. Affluent de la Dordogne — Touffe de rejets de bois.
4. Montagne de Thessalie — Ville du Pérou.
5. Étoile — Multitude.
6. Étain — Ganse servant à retenir un rideau.
7. Lac d'Italie — Homme d'État britannique.
8. Bord — Rubidium — Étoffe d'ameublement d'armure toile.
9. Petite tumeur — Groupe anglais des années 1960 natif de Liverpool — Action de soulever un corps à l'aide d'un levier.
10. Hassium — Bourgeon secondaire de certaines plantes.
11. Ville d'Italie — Ville de la Haute-Vienne, en France.
12. Unité de mesure des radiations absorbées par un corps vivant — Mélange de cire et d'huile — Tellure.

Jeu 134

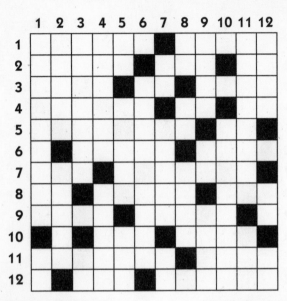

◻ **Horizontalement** ◻

1. Vide — Partie terminale de la patte des insectes.
2. Muse — Autocar — Chrome.
3. Outil de tailleur de pierre — Début d'abcès — Grand plat en terre.
4. Calandrer — Cela — Note.
5. Perceptible — Pascal.
6. Appareil de détection sous-marine — Célèbre baseballeur prénommé Ty.
7. Plante herbacée — Situation d'un organe hors de sa place habituelle.
8. Forme d'art — Deuxième ville la plus peuplée du Danemark — Gaz à effet de serre.
9. Physicien français — Ville de la Drenthe.
10. Poutre — Frères artistes allemands.
11. Petit soc — Renforcé de métal.
12. Tranché — Faire adhérer.

◻ **Verticalement** ◻

1. Grenat — Rutherfordium.
2. Poète lyrique grec — Ipécuanha.
3. Soldat fanfaron et peureux de l'ancienne comédie — Étain.
4. Matrice — Dramaturge américain.
5. Voyelles — Canard — Compagnie de télécommunications américaine.
6. Plante potagère vivace.
7. Colombium — Battement de la mesure dans le vers — Einsteinium.
8. Métal argenté très dense (symbole) — Californium — Montagne de Thessalie.
9. Ville de Grèce — Case postale — Fils d'Isaac.
10. Surin.
11. Insecte coléoptère — Madame.
12. Fleuve d'Irlande — Sélénium — Erbium.

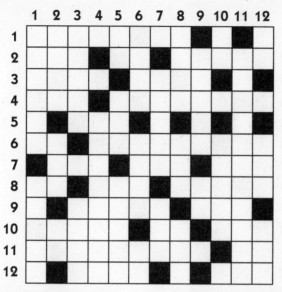

◻ Horizontalement ◻

1. Petite tarte au fromage.
2. Procris — Stéradian — Affluent de la Lena.
3. Vent du nord-est — Port du Portugal.
4. Grand perroquet — Nom donné au Saint-Esprit, troisième personne de la Trinité.
5. Ramassis.
6. Dysprosium — Sabre oriental dont la lame courbe n'a qu'un seul tranchant.
7. Rivière des Alpes — Organisation des États américains — Rivière de Suisse.
8. Note — Particule affirmative — Courroie garnie de plomb.
9. Port de l'Inde — Unité monétaire roumaine (pl.).
10. Inculte — École d'administration — Ensemble des puissances éternelles émanées de l'Être suprême.
11. Longue tresse de cheveux de chaque côté du visage — Sodium.
12. Dieu grec de la Guerre — Volcan du Japon.

◻ Verticalement ◻

1. Débauché — Capitale du Bangladesh.
2. Ville du Nord, en Thiérache — Ville du Japon — Radium.
3. Ville de Suisse — Maladie, souvent mortelle.
4. Appuyer (S').
5. Parti politique — Unité de pression mécanique — Impératrice d'Orient.
6. Ville de Turquie — Ville d'Italie — Préposition.
7. Multitude — Récipient en terre réfractaire.
8. Ville du Japon — Bruit sec — Ville de Belgique.
9. Petit poisson — Article étranger.
10. Gadolinium — Vide.
11. Fourvoiements.
12. Parti politique — Période historique — Cap d'Espagne.

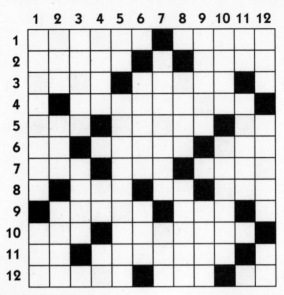

	1	2	3	4	5	6	7	8	9	10	11	12
1												
2												
3												
4												
5												
6												
7												
8												
9												
10												
11												
12												

◻ Horizontalement ◻

1. Mobile — Dévidoir des cordiers.
2. Ville de Belgique — Peintre italien né en 1615.
3. Insecte rhynchote — Forme de syphilis.
4. Protéines présentes dans les organismes animaux.
5. Douleur — Pin cembro — Exclamation.
6. Erbium — Ville de Turquie — Interjection exprimant la joie.
7. Lisse — Grade — Unité de mesure de pression.
8. Plante textile — Adjectif possessif — Personne avare.
9. Baliveau qui a deux fois l'âge de la coupe — Télégraphie sans fil.
10. Il a popularisé *Father And Son* — Partie de l'os coxal qui forme la hanche.
11. Pronom démonstratif — Projectile.
12. Raller — Röntgen Equivalent Man — Pronom démonstratif.

◻ Verticalement ◻

1. Méchant — Groupe qui a popularisé *Proud Mary* .
2. Ornement architectural — Acide ribonucléique — Ville de la Polynésie française.
3. Parc d'attractions et animalier de France — Hameau.
4. Elle a popularisé *C'est trop facile* — Iridium — Praséodyme.
5. Issu — Passerelle.
6. Tirailleur algérien — Ville du Japon.
7. Ville de la Haute-Savoie — Canadian National Railways.
8. Fiel — Matérialiste.
9. Étendue sableuse — Thaïlande.
10. Fleur au cœur du festival célébré à Chédigny — Pingouin.
11. Einsteinium — Cinéaste espagnol né en 1932.
12. Vaccin contre la typhoïde — Unité de mesure de fréquence — Bradype.

Jeu 137

	1	2	3	4	5	6	7	8	9	10	11	12
1												
2												
3												
4												
5												
6												
7												
8												
9												
10												
11												
12												

◻ Horizontalement ◻

1. Marabout — Premiers principes d'un art.
2. Prêtre d'Alexandrie — Grand arbre de l'archipel indien.
3. Outil pourvu d'une pointe tranchante et recourbée.
4. Aluminium — Erbium — Première lettre de l'alphabet hébraïque.
5. Chien de chasse.
6. Forme d'art — Mot latin qui signifie «ainsi».
7. Port de la Corée du Sud — Ordinateur — Sodium.
8. Silicate naturel de magnésium — La sienne — Radon.
9. Hirondelle de mer — Holmium.
10. Personne courageuse — Prophète juif.
11. Cloison séparant deux cavités — Métal d'un gris bleuâtre.
12. Docteur — Singe d'Amérique — Patriarche.

◻ Verticalement ◻

1. Oiseau échassier — Hallucinogène.
2. Ville de la Russie — Piller.
3. Cavité irrégulière de certains os — Petit navire à mât vertical.
4. Pronom relatif — Arrière-faix.
5. Ville de Suisse — Note.
6. Au bridge, la septième levée — Fente verticale qui se forme au sabot du cheval.
7. Ville des Pays-Bas — Ailier surnommé «Le petit viking».
8. Ville de l'Inde — Taché par endroits.
9. Pin montagnard — Ville de l'Oise, en France.
10. Ancêtre de la bicyclette — Plante herbacée annuelle — Officier de Louis XV.
11. Tamponnement — Indium — Molybdène.
12. Boucherie.

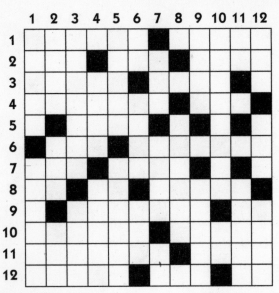

◻ **Horizontalement** ◻

1. Carafe en verre épais — Acier très fin.
2. Gendre de Mahomet — Via — Doté.
3. Semoule de sarrasin — Dieu solaire égyptien.
4. Prière — Partie d'un canal entre deux écluses.
5. Regimber.
6. Titre — Physicien et chimiste britannique, pionnier de l'électromagnétisme.
7. Amas — Bière légère belge.
8. Écrivain japonais — Muon — Aiguille d'un cadran.
9. Capitale du Sultanat d'Oman — Livre.
10. Matières textiles — Compositeur britannique mort en 1934.
11. Accumulation de débris entraînés puis abandonnés par les glaciers — Fleuve de Sibérie.
12. Sarment de vigne — Homme politique français — Soldat de l'armée américaine.

◻ **Verticalement** ◻

1. Ville du Japon — Ville située sur l'île de Honshu.
2. Prénom du premier spationaute israélien — Classification pour l'huile — Ville de Yougoslavie.
3. Fausse épervière — Résidu.
4. Fortune — Territoire portugais sur la côte de la Chine.
5. Girasol — Charbon friable.
6. Sodium — Ville de Turquie — Confédération des syndicats nationaux.
7. Chef éthiopien — Embarras — Préposition.
8. Oiseau de l'île Maurice.
9. Talus destiné à protéger les plantes — Ville du Territoire de Belfort, en France.
10. Qui n'a qu'une étamine — Germanium.
11. Article contracté — Dialecte chinois parlé au Hunan.
12. Substance friable dans l'eau — Ville du sud-ouest du Nigeria — Résidu pâteux de la houille.

Jeu 139

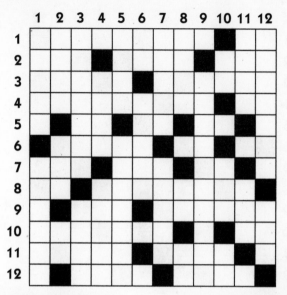

☐ **Horizontalement** ☐

1. Raccommodage de vêtements usés — Rutherford.
2. Âge — Soldat français — Petit singe.
3. Cinéaste française née en 1928 — En Russie, voiture légère, calèche de voyage.
4. Période de quinze années — Livre.
5. Voyelles — Aluminium — Tantale.
6. Mammifère carnivore albinos — Paresseux — Thallium.
7. Flan aux raisins secs ou aux pruneaux — Pièce honorable de l'écu — Symbole du Manitoba.
8. Le premier impair — Sévère à l'excès.
9. Pronom personnel — Ville des Vosges, en France.
10. Évidence — Fer.
11. Région aux confins de la Grèce et de l'Albanie — Dépression.
12. Poisson des lacs alpins — Pilier d'encoignure.

☐ **Verticalement** ☐

1. Ville des Ardennes, en France — Variété de sumac.
2. Vallée des Pyrénées espagnoles — Partisan — Révérend Père.
3. Liberté du langage — Graisse des ruminants.
4. Célèbre couturier — Fruit.
5. Versant d'une montagne exposé au nord — Vider.
6. Interjection — Langue turque parlée dans la vallée de la Volga.
7. Ville d'Irak — Ligne de jonction du pont et de la coque d'un navire.
8. Peuple de l'Inde — Titane — Radium.
9. Sommation.
10. Police militaire de l'Allemagne nazie — Élément de mesure de l'information — Note.
11. Liqueur d'Orient — Navire de guerre.
12. Rouleau de bois fixé sur les ralingues et les bourrelets des chaluts — Vedette de *La fureur de vaincre*.

	1	2	3	4	5	6	7	8	9	10	11	12
1												■
2				■					■			
3				■					■			
4						■						
5	■		■									
6	■											
7												
8		■					■					
9					■				■			
10			■		■							
11				■				■				
12				■		■		■				

❑ Horizontalement ❑

1. Croquemitaine.
2. Extrémité méridionale du plateau brésilien — Interjection — Iridium.
3. Se dit d'un mur sans fenêtre, ni porte — Ensemble de napperons — Chlore.
4. Monnaie du Nigeria — Cotylédon.
5. Ancienne ville de la Palestine — État d'Afrique dirigé par Abbas El Fassi en 2007.
6. Plante herbacée rampante.
7. Fleuve de Russie long d'environ 1950 km — Parer — Paul-Émile.
8. Lui — Gaz — Tour.
9. Relatif aux nœuds d'une corde — Poète épique et récitant.
10. Unité de mesure agraire — Tracas — Bâton pastoral en forme de béquille.
11. Ville des Deux-Sèvres, en France — Rivière d'Allemagne.
12. Canal de sports — Homme politique français — Ville du Maroc.

❑ Verticalement ❑

1. Auteur de l'ouvrage *Le Conte* — Ville de Belgique.
2. État du nord du Brésil — Éclat d'un style imagé et vivant.
3. Il a popularisé *Pretty Woman* — Écrivain français né en 1919.
4. Irlande — Radium.
5. Commandement — Eaux de toilette.
6. Planchette de bois — Astronome néerlandais mort en 1992.
7. Physicien français — Manganèse — Niche.
8. Wagon à bords hauts.
9. Petit fleuve côtier du nord de la France — Ville du Bas-Rhin, en France — Hassium.
10. Rivière de Bourgogne — Poisson exotique d'eau douce.
11. Auteur dramatique britannique né en 1693 — Praséodyme.
12. Boëtte — Ville de l'Inde.

Jeu 141

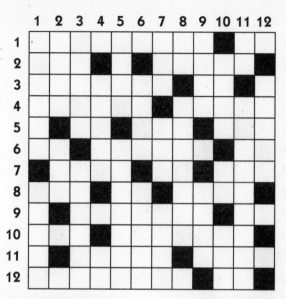

◻ Horizontalement ◻

1. Penchant — Livre.
2. États-Unis — Gaz incolore et inodore.
3. Code — Article espagnol.
4. Organe porté par certaines plantes — Mesure espagnole de poids.
5. Nazi — Surnom — Partisan.
6. Lithium — Astasie — Technétium.
7. Peintre espagnol né en 1601 — Terbium — Élue du calendrier.
8. Économiste français né en 1767 — Note — Ardent.
9. Exécuter — Nombre romain.
10. Un centième de sievert — Acide aminé naturel aliphatique.
11. Compositeur britannique mort en 1934 — Femme de lettres française, appelée George.
12. Navire de guerre — Jumelles.

◻ Verticalement ◻

1. Coup d'œil — Bloc de glace.
2. Fleuve côtier né en France — Ville du Pérou.
3. Tégument de la noix de muscade — Ville de l'Outaouais.
4. Port de la Corée du Sud — Nombre romain.
5. Mathématicien norvégien né en 1802 — Nom de la navigation côtière.
6. Ville d'Allemagne — Bruit.
7. Prénom du défenseur Gill — Armée — Corde avec laquelle on pendait les criminels.
8. Iridium — Amibe.
9. Ville de Hongrie — Sans éclat, morne.
10. Roi de Suède de 994 à 1022 — Étain — Pianiste français né en 1890.
11. Indium — Cognement.
12. Ville des Alpes-Maritimes, en France.

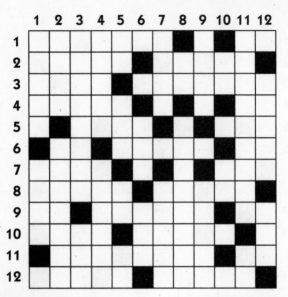

◻ Horizontalement ◻

1. Rondelle de cuir garnissant la queue de billard — Étain.
2. Allure défectueuse d'un cheval — Pince à deux branches.
3. Plateau herbeux en Afrique du Sud — Pourrir.
4. Facteur de pianos français — Rhodium.
5. Un billion — Première épouse de Jacob.
6. Curie — Aldéhyde-alcool — Tour.
7. Poudre minérale — Préfixe.
8. Ville de l'Isère, en France — Appât.
9. Américium — Île du Danube — Lawrencium.
10. Fils d'Adam et Ève — Le joueur le plus pénalisé de l'histoire de l'équipe des Canadiens.
11. Refaire — Prométhium.
12. Fouteau — Immobile.

◻ Verticalement ◻

1. Asphalter — Boisson russe.
2. Regimber — Mirage.
3. Offrande — Récipient en terre réfractaire.
4. Boisson alcoolisée — Desserrer.
5. Préposition — Fleuve d'Afrique — Cité légendaire bretonne — Petit morceau cubique.
6. Gendre de Mahomet — Société nationale italienne des pétroles présente dans 70 pays.
7. Appât — Petite cheville de bois.
8. Lanthane — Corps d'une cuirasse.
9. Puissance surnaturelle — Unique athlète féminine canadienne médaillée aux Jeux olympiques d'été et d'hiver.
10. Marque de commerce — Thermie.
11. Drôle — Paul-Émile.
12. Plaine du nord-ouest du Maroc — Mémoire vive.

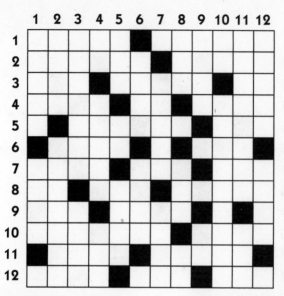

◻ Horizontalement ◻

1. Mollusque bivalve — Lé.
2. Fruits — Voilier marchand gréé en brick.
3. Graffiti — Général et homme politique portugais — Symbole du Nouveau-Brunswick.
4. Société nationale italienne d'électricité — Début de roman — Fleuve qui prend sa source en Espagne et traverse le Portugal.
5. Fignoler — Guise.
6. Ville du Gard, en France — Interjection exprimant la joie.
7. Fleuve qui sépare la Pologne de l'Allemagne — Article — École des élites.
8. Sur la boussole — Homme politique français — Faire son nid.
9. Dynastie chinoise — Ville de Suisse.
10. Totalitaire — Grande futaille.
11. Prophète hébreu — Faire mourir par le supplice de la roue.
12. Bord — Petit socle — Fils de Noé.

◻ Verticalement ◻

1. Écrivain et critique britannique mort en 1894 — Montagne de Thessalie.
2. Ville de l'île de Taiwan — Aux échecs, remettre en place une pièce déplacée par accident.
3. Toute-épice — Ville de la Haute-Vienne, en France.
4. Nanoseconde — Ville du Nord, en France — Oiseau palmipède.
5. Lettre triple — Cæsium — Général français né en 1758.
6. Ville du Tchad méridional — Ville de Belgique.
7. Acte de pensée — Ville du Cher, en France.
8. Résine malodorante — Classification pour l'huile — Écrivain japonais.
9. Estive — Plutonium.
10. Année — Rompues.
11. Corruption — Petite prairie.
12. Île de la mer Égée — Renforcé de métal.

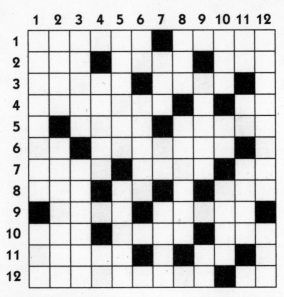

▢ Horizontalement ▢

1. Tout alcool de la série aliphatique possédant deux fonctions alcool — Semoule de sarrasin.
2. Onde — Fondateur de l'Oratoire d'Italie — Ville d'Israël.
3. Maison du berger — Affluent de la Seine.
4. Délustrer — Id est.
5. Ville de Grèce — Gantelet formé d'un doigtier articulé pour le pouce.
6. Rhésus — Razzia.
7. Devin — Lac d'Éthiopie — Moi.
8. Groupe qui a popularisé *Evil Woman* — Pronom démonstratif — Fatigué.
9. Peuple du Zaïre — Herbes appelées aussi sparts.
10. Plus mauvais — Peu fréquent — Anaconda.
11. Endommager — Sélénium.
12. Rupture — Zirconium.

▢ Verticalement ▢

1. Personne autoritaire — Parti politique.
2. Layon — Groupe de buissons touffus.
3. Liliacée — Fruit à deux valves.
4. Pierre en saillie — Électronvolt.
5. Écrivain uruguayen mort en 1994 — Peintre et théoricien italien mort en 1966.
6. Laize — Ville d'Ukraine.
7. Régime d'épargne-retraite — Lanthane — Dieu grec de la Guerre.
8. Unité monétaire du Laos — Frappeur ambidextre qui a réussi le plus de circuits en carrière dans la MLB.
9. Forêt de conifères — Étain.
10. Explication — Règle de dessinateur — Ville de Guinée.
11. Peuple de l'Inde — Aimée de Zeus — Prénom d'un peintre italien.
12. Manifestées — Massif montagneux du Sahara méridional.

Jeu 145

	1	2	3	4	5	6	7	8	9	10	11	12
1												
2												
3												
4												
5												
6												
7												
8												
9												
10												
11												
12												

❏ Horizontalement ❏

1. Pierre — Symbole de l'unité de mesure décacoulomb.
2. Piège — Rivière des Alpes — Stéradian.
3. Bison d'Europe — Débrouillement.
4. Col des Alpes — Rencontre sportive entre équipes voisines.
5. Préposition — Orchestre symphonique de Montréal — Voyelles — Interjection.
6. Unité de mesure de masse — Ville du Maroc.
7. Colonne — Père des Néréides.
8. Générateur d'ondes électromagnétiques — Début de roman.
9. Abréviation de route — Lac de Syrie — Cap d'Espagne.
10. Participation — Théâtre national.
11. Ville du Morbihan, en France — Escamoter.
12. Églantier — Petit socle.

❏ Verticalement ❏

1. Plante herbacée — Rompre.
2. Accru — Acteur italien mort en 1967.
3. Regimber — Gabares.
4. Germanium — Danse andalouse traditionnelle — Prénom masculin.
5. Et le reste — Saint — Partie d'un canal entre deux écluses.
6. Gronder.
7. Protecteur du foyer — Bande de fer.
8. Affluent de la Loire — Doté.
9. Naviguer — Néodyme.
10. Gray — Écrivain politique français — Titre d'un film de Steven Spielberg.
11. Enzyme — Ville des Alpes-Maritimes, en France — Foyer.
12. Chrome — Paille-en-queue.

	1	2	3	4	5	6	7	8	9	10	11	12
1												
2												
3												
4												
5												
6												
7												
8												
9												
10												
11												
12												

❑ Horizontalement ❑

1. Petit singe d'Amérique à longue queue — Poisson des mers froides.
2. Grand lac salé d'Asie — Flétan.
3. Oiseau voisin du pigeon — Petit singe — Micro-ordinateur d'usage individuel.
4. Teinte vive que donne le sang affluant au visage — Bof.
5. Poète lyrique grec — Médecin britannique, prix Nobel 1936.
6. Métal argenté très dense (symbole) — Pièce porteuse d'un cintre — Se dit du jazz joué avec force.
7. Largement fixé sur le pied (bot.) — Samit.
8. Première épouse de Jacob — Gallium — Aux limites de la nuit — Afrique équatoriale.
9. Poteau — Fruit charnu.
10. Rallier — Peuple de l'île de Hainan.
11. Lac d'Italie — Ville du Pas-de-Calais, en France.
12. Petit cube — Mer — Ville de la Loire-Atlantique, en France.

❑ Verticalement ❑

1. En forme de flèche — Héros de Castro.
2. Vallée des Pyrénées espagnoles — Obésité.
3. Écran suspendu au plafond — Étoile.
4. Région du Portugal — Cri des bacchantes.
5. Souci — Interjection exprimant la joie.
6. Écrivain japonais — Musique de régiment — Ancien premier ministre de l'Ontario.
7. Port de la Corée du Sud — Foyer.
8. Cacolet — Blâmer.
9. Statut — Grave.
10. Note — Port de la Guinée équatoriale — Sélénium.
11. Pièce honorable de l'écu — Type illuminé qui dirige une secte.
12. Petit filet à écrevisses — Furie.

	1	2	3	4	5	6	7	8	9	10	11	12
1												
2												
3												
4												
5												
6												
7												
8												
9												
10												
11												
12												

❏ Horizontalement ❏

1. Titre héréditaire d'un ordre de chevalerie.
2. Deuxième ville la plus peuplée d'Algérie — Actinium — Grivois.
3. Épiloguer — Fleuve du Languedoc — Meilleur en son genre.
4. Article étranger — Port d'Italie — Mamelle d'une femelle.
5. Onomatopée — Unité de mesure de puissance sonore subjective.
6. Stéradian — Fête où l'on distribuait mets et vins.
7. Fleuve du Vietnam — Onomatopée du rire.
8. Amphithéâtre d'une université — Meule.
9. Outre — Annélide — Moi.
10. Petit mammifère à longue queue prenante — Ville de la Gironde, en France.
11. Poète lyrique grec — Statut — Saint.
12. Paradisiaque — Germanium.

❏ Verticalement ❏

1. Ville de la Somme, en France — Radium — Classification pour l'huile.
2. Grand lac salé d'Asie — Homme de guerre brutal.
3. Chef éthiopien — Distillerie d'eau-de-vie.
4. Fleuve de Russie qui se jette dans la mer Blanche — Grand navire armé en guerre.
5. Fleuve de Bretagne — Peuple du Ghana.
6. Sodium — Moi.
7. Rameau imparfaitement élagué — Filamenteux.
8. Cachette — Écrivain japonais.
9. Stibium — Mercure — Résidu pâteux provenant de la distillation du pétrole.
10. Lanthane — Ville italienne de la province d'Alexandrie.
11. Agneline — Ville de Syrie.
12. Plante herbacée — Ville de la Drôme, en France.

Jeu 148

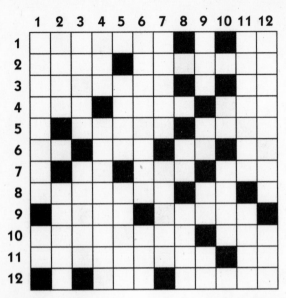

❏ Horizontalement ❏

1. Danse d'origine polonaise — Jumelles.
2. Deuxième ville la plus peuplée d'Algérie — Demander.
3. Consonance — Cobalt.
4. Thor — Ville de l'Aude, en France — Goulot.
5. Ancienne contrée de l'Asie Mineure — Foyer.
6. Rutherfordium — ... culpa — Tellement — Traditions.
7. Symbole de l'Alberta — Réseau de télévision américain — Organisation mondiale de la Santé.
8. Tréfilage — Article contracté.
9. Elle a popularisé *C'est trop facile* — Plaine du nord-ouest du Maroc.
10. Région de France — Adjectif possessif.
11. Gladiateur qui combattait les bêtes féroces, à Rome — À moitié.
12. Société nationale italienne des pétroles présente dans 70 pays — Ville d'Allemagne.

❏ Verticalement ❏

1. Plante herbacée — Groupe anglais des années 1960 natif de Liverpool.
2. Fleuve d'Italie — Peser un emballage.
3. État d'Afrique centrale — Espaces plats où nichent les oiseaux de proie.
4. On les mentionne toujours avant les autres — Oiseau échassier de l'Afrique tropicale.
5. Ville du Maroc — Compositeur et organiste français né en 1911.
6. Blé de Guinée — Jovial.
7. Largement fixée sur le pied (bot.) — Poète italien mort en 1535.
8. Scandium — Homme misérable.
9. Jus — Bradype — Rivière de France — Einsteinium.
10. Carat — Mammifère carnivore.
11. Protocole — Mât horizontal.
12. Femme effrontée — Femme de lettres américaine.

Jeu 149

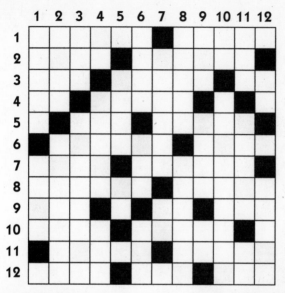

◻ Horizontalement ◻

1. Partie externe qui forme l'enveloppe d'un organe — Archipel du Pacifique.
2. Port du Yémen — Roman d'Yves Thériault.
3. Pâté impérial — Elle a popularisé *Rush, Rush* — Interjection.
4. Argon — Petit pieu pointu.
5. Demoiselle — Frugivore.
6. Outil servant à faire des pas de vis — Opercule.
7. Compartiment d'un meuble — Bonnet d'enfant noué sous le menton.
8. Tringle de bois fixée à un mur — Logé.
9. Ville du Nigeria — Peuple de l'île de Hainan — Rasette.
10. Exercice d'assouplissement — Abjection.
11. Affluent de la Loire — Plante sauvage.
12. Produit de dégradation des acides aminés de l'organisme — Homme politique français — Ville de la Somme, en France.

◻ Verticalement ◻

1. Buse d'aérage — Agrafe chirurgicale.
2. Fleuve qui sépare la Pologne de l'Allemagne — Émonder.
3. Unité de mesure des radiations absorbées par un corps vivant — Uhlan.
4. Théâtre national — Port et banlieue industrielle d'Athènes — Ville du sud-ouest du Nigeria.
5. Ville de la Polynésie française — Rivière de France.
6. Bras méridional du delta du Rhin — Roi stupide et cruel — Ville du Maroc.
7. Association privée à intérêt commerciale — Lanthane.
8. Volcan constitué par des émissions de boue — Grincheux.
9. Officier de la cour du sultan — Disque — Jeu de stratégie d'origine chinoise.
10. Muon — Hédoniste.
11. Rivière de Russie — Fleuve de l'Espagne méridionale — Europium.
12. Mercure — Privé de ses rameaux.

Jeu 150

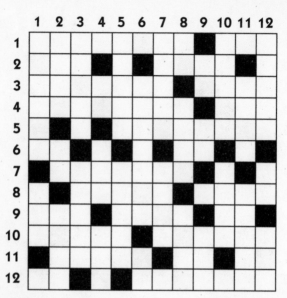

◻ Horizontalement ◻

1. Filament qui relie l'ovule au placenta (Bot.) — Goulot.
2. Lisse — Ancien Empire.
3. Sabre turc — Cinéaste italien né en 1916.
4. Glorifier — Officier de Louis XV.
5. Vésicule.
6. Thulium — Petit lac des Pyrénées.
7. Coction.
8. Touffe de jeunes tiges de bois — Âme des ancêtres.
9. Entre parenthèses — Vin blanc — Radium.
10. Cheville de fer — Allures d'un quadrupède.
11. Ville de l'Inde — Bonne action — Six en chiffres romains.
12. Germanium — Outil tranchant du maréchal-ferrant.

◻ Verticalement ◻

1. Évasif — Armée.
2. Mammifère d'Amérique tropicale — Nombre romain — Corps simple de la famille des halogènes.
3. Ville de Slovaquie — Ville de Belgique.
4. Afrique équatoriale — Racaille — Ville de Grande-Bretagne.
5. Oiseau échassier de Nouvelle-Calédonie — Minéral à structure lamellaire et cristalline.
6. Insectes coléoptères — Livre.
7. Navire de ligne — Montagne de Grèce.
8. Préposition — Fleuve de Géorgie — Infatué.
9. Chrome — Cobalt — Cacolet.
10. Bourgeon secondaire de certaines plantes — Médaillé d'or au 100 m en 1988.
11. Pièce de bois servant d'appui — Grains de beauté.
12. Rivière d'Allemagne — Tellure — Titre.

Solutions

Solutions

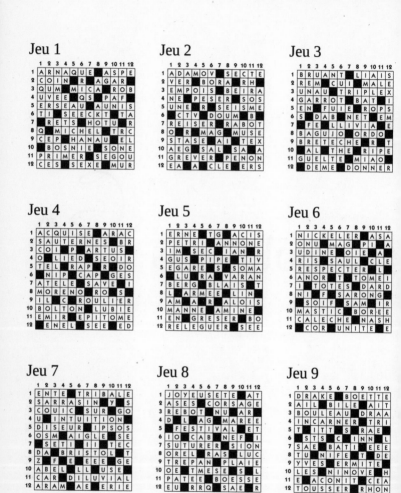

Jeu 1

```
    1 2 3 4 5 6 7 8 9 10 11 12
 1  A R N A Q U E ▪ A S P E
 2  C O I N ▪ R ▪ A G A R
 3  Q U M ▪ M I C A ▪ R O B
 4  U V E E ▪ Q S ▪ P A F
 5  E R S E A U ▪ A U N I S
 6  T I ▪ S E E C K T ▪ T A
 7  ▪ R E T S ▪ H O T U ▪ R
 8  Q ▪ M I C H E L ▪ T R C
 9  C E P ▪ H A N A U ▪ E L
10  B O S N I E ▪ S O N E
11  P R I M E R ▪ S E G O U
12  C E S ▪ S E X E ▪ M U R
```

Jeu 2

```
    1 2 3 4 5 6 7 8 9 10 11 12
 1  A D A M O V ▪ S E C T E
 2  V E R ▪ B O R A ▪ R H
 3  E M P O I S ▪ B E I R A
 4  N E ▪ P E S E R ▪ S O S
 5  U N E ▪ R ▪ S E I S M E
 6  C T V ▪ D O U M ▪ B
 7  R E I S E R ▪ R A B O T
 8  O R ▪ M A G ▪ M U S E
 9  S T A S E ▪ A I ▪ T E X
10  A E G ▪ S A L ▪ S A ▪ A
11  G R E V E R ▪ P E N O N
12  E A A ▪ C L E E R S
```

Jeu 3

```
    1 2 3 4 5 6 7 8 9 10 11 12
 1  B R U A N T ▪ L I A I S
 2  R E M ▪ C U I ▪ M A L E
 3  U N A U ▪ T R I P L E X
 4  G A R R O T ▪ B A T ▪ I
 5  E N ▪ F U I E ▪ R O P S
 6  S ▪ D A B ▪ N E T ▪ E M
 7  F E ▪ L L I V I A ▪ E
 8  B A G U I O ▪ O R D O
 9  B R E T E C H E ▪ R T
10  A L ▪ T H E ▪ R I P E
11  G U E L T E ▪ M I A O
12  D E M E ▪ D O N N E R
```

Jeu 4

```
    1 2 3 4 5 6 7 8 9 10 11 12
 1  A C Q U I S E ▪ A R A C
 2  S A U T E R N E S ▪ B R
 3  C O I P ▪ A R T U S
 4  O ▪ L I E D ▪ S E O I R
 5  T E L ▪ R A P ▪ R ▪ D O
 6  N I P ▪ C A P ▪ G E S
 7  A T E L E ▪ S A V E ▪ I
 8  M O R E N O ▪ R O ▪ S
 9  I L ▪ C ▪ R O U L I E R
10  B O L T O N ▪ L U B I E
11  E M I R ▪ E P I T O M E
12  E N E L ▪ S E E ▪ E D
```

Jeu 5

```
    1 2 3 4 5 6 7 8 9 10 11 12
 1  E R N E ▪ T G ▪ A C I S
 2  P E T R I ▪ A N N O N E
 3  I M ▪ S E C ▪ I A N ▪ R
 4  G U S ▪ P I P E ▪ T I V
 5  E G A R E ▪ S ▪ S O M A
 6  L U ▪ R A ▪ V A R A N
 7  B E R G ▪ B L A I S ▪ T
 8  L ▪ A R M E E ▪ L I N
 9  A M ▪ A ▪ R ▪ A L O I S
10  M A N N E ▪ A M I N E
11  E N ▪ G R E S E R ▪ B O
12  R E L E G U E R ▪ S E E
```

Jeu 6

```
    1 2 3 4 5 6 7 8 9 10 11 12
 1  N I C K E L E R ▪ A S A
 2  O N U ▪ M A G ▪ P I ▪ A
 3  U D I N E ▪ O I E ▪ A
 4  R I S ▪ S A U L ▪ C L E
 5  R E S P E C T E R ▪ L
 6  A N O R ▪ T ▪ T O M E I
 7  I ▪ T O T E S ▪ D A R D
 8  N I F ▪ S A R O N G
 9  S O I F ▪ S A M ▪ I R
10  M A S T I C ▪ B O R E E
11  C A L E C H E ▪ N A S H
12  C O R ▪ U N I T E ▪ E
```

Jeu 7

```
    1 2 3 4 5 6 7 8 9 10 11 12
 1  E N T E ▪ T R I B A L E
 2  S A R R A S I N ▪ Y ▪ S
 3  C O U I C ▪ S U R ▪ G O
 4  U ▪ I N T U I T I O N
 5  D I S E U R ▪ I P S O S
 6  O S M ▪ A I G L E ▪ S E
 7  ▪ S E T I ▪ I I ▪ T E C
 8  D A ▪ B R I S T O L ▪ T
 9  Z ▪ F ▪ E ▪ E E E ▪ G E
10  A B E L ▪ L L ▪ U S E
11  C A R ▪ D I L U V I A L
12  A R A M ▪ A E ▪ E R I E
```

Jeu 8

```
    1 2 3 4 5 6 7 8 9 10 11 12
 1  J O Y E U S E T E ▪ A T
 2  A S E S ▪ C O R S A G E
 3  R E B O T ▪ N U ▪ A R
 4  D ▪ L ▪ A G ▪ M A R E E
 5  ▪ F E S T I V A L ▪ E T
 6  I O ▪ C A B ▪ N E F ▪ I
 7  S U T U R E R ▪ S I O N
 8  O R E L ▪ R A S ▪ L U C
 9  T R E P A N ▪ P L A I E
10  O E ▪ T M E S E ▪ S ▪ L
11  P A T E E ▪ B O E S S E
12  E U ▪ R R Q ▪ S A E ▪ R
```

Jeu 9

```
    1 2 3 4 5 6 7 8 9 10 11 12
 1  D R A K E ▪ B O E T T E
 2  A I L ▪ B I L E ▪ A I T
 3  B O U L E A U ▪ D R A A
 4  I N C A R N E R ▪ T R I
 5  T ▪ I T T ▪ S ▪ R A E
 6  S T S ▪ C ▪ I N N ▪ L
 7  S A E ▪ B A T I ▪ E E E
 8  T U ▪ N I F E ▪ T ▪ D E
 9  Y V E S ▪ E R M I T E
10  L E S ▪ N I N O V E ▪ H
11  E ▪ A C O N I T ▪ C E A
12  T O U S S E R ▪ R H O N
```

Solutions

Jeu 10

```
   1 2 3 4 5 6 7 8 9 10 11 12
 1 O R T H O D O X E    M  O
 2 O U A   I   P I N N  E
 3 G E N E S E   A N    N  C
 4 O R G U E   T   A P  T
 5 N   A L   P I C   S  O  C
 6 E S   E C U M E R   N  A
 7   P A R A   O   A S    D
 8 C A L   C O N S P U  E  R
 9 A   G A O   E C   I  L  A
10 B R I G U E R   C   B  N
11 A U D E N   I S A I  E
12 S E E   A D E N O M  E  S
```

Jeu 11

```
   1 2 3 4 5 6 7 8 9 10 11 12
 1 G R A M O N T   A A  R  E
 2 L A M A   C E A N S     N
 3 O R A G E   N A T A  L
 4 S E L E N I U R E    A  A
 5 E   G A N I   E T C
 6 C A P   S T E   M A  R
 7 Q O M   A T E M I    U
 8   C E R Z A   B E N  N  E
 9 B K   D U N L O P    E  R
10 E C A R T E L E R    N
11 C R U   E   V I R U  R  E
12 S   I V R A I E   E  D  E
```

Jeu 12

```
   1 2 3 4 5 6 7 8 9 10 11 12
 1 K I P P E R   T   R  A  Y
 2 A L E   T   S A O N  E
 3 L A N G E A C   P   G  E
 4 I N D I U M   S P A     D
 5 E   A E F   G   R I  P  E
 6 M A N N   M A M E R  S
 7 I T T   C O R O S S  O  L
 8 E T   P A N A I S    A  A
 9 A   A R A M O N I A  S  I
10 P R O T E C T I O N     S
11 A D O R   L I M N E  E
12 S E N E V E   A   T  A  Y
```

Jeu 13

```
   1 2 3 4 5 6 7 8 9 10 11 12
 1 S Q U A S H   L I S  T
 2 O I L L E   F O R U  R  E
 3 U N E   P A   F A R  A  D
 4 Q   M A S S A   N I  P
 5 U B A C   A D O   N  P  D
 6 E L   R O   H O P   I  I
 7 R O S I E R E   L O  S
 8   C A M   I S B A    T  R
 9 R   B O S N I E   C  E  I
10 A N O N E   O R D O     S
11 A N T I G E N E   T  E  E
12 B O   E A U   T M E  S  E
```

Jeu 14

```
   1 2 3 4 5 6 7 8 9 10 11 12
 1 A R E S   L   E S C  O  T
 2 R O M A N I S T E    M  O
 3 S O U F I S M E   F  O  R
 4 I N   R E P O L I R     T
 5 N   M A R   G   R I  S  I
 6 V A N   C   D   M I  S
 7 B A C   C A H O T E  R
 8 B U R E   T Y L E R     R
 9   T O M B E E   C   C  I
10 G O U M   L N I   L  A  S
11 A U R E O L E   P I  P  E
12 O R E N S E   P E S  E  E
```

Jeu 15

```
   1 2 3 4 5 6 7 8 9 10 11 12
 1 B I C H O N N E R   P  E
 2 E N E   S A A L E S     M
 3 A D N E   P R O P A  N  E
 4 U R U B U   D I S P  O  S
 5 F E R A   R   G   E  E  E
 6 O   E T R E N N E    L
 7 R P   S A M   E   T     A
 8 T O C   S U C   P A  I  R
 9 L N I   A I R E L L  E
10 A I   T A N G A R A     T
11 A C C E N T U E R       T
12 R E I M S   E   E L  E  E
```

Jeu 16

```
   1 2 3 4 5 6 7 8 9 10 11 12
 1 L I N O N   C R O S  S  E
 2 U N A U   G O A   E     N
 3 C A R A T   B A D E  N
 4 A R A   S N   B I S  E  R
 5 N I   B A   C E S   P  A
 6 E   B A R B E   P O  E
 7   M I L   A R R A S     E
 8 L O C A L I S E R   C  T
 9 E L   N A S   M A M  E  R
10 C L O C H E R   T O  P  I
11 C A R E T   U S E   E  V
12 E H   R I S E E   Z  E  E
```

Jeu 17

```
   1 2 3 4 5 6 7 8 9 10 11 12
 1 B A T E E   O S   A  B  A
 2 E L I   S T   I L A     V
 3 C O N S T A B L E   V  E
 4 H E   T A R A   E L  A  N
 5 E S C A M O T E R   N  U
 6 R   H E P   A S S E  N
 7 V E L I E   C   R E  R
 8 S E M   E X S A N G  U  E
 9 A R I A   C A D I   S  M
10 N O N   F I B R O M  E
11 E N E E   T A O   O     T
12 M E R U L E   N A T  A  L
```

Jeu 18

```
   1 2 3 4 5 6 7 8 9 10 11 12
 1 P E R R E   C R Y P  T  E
 2 O P A   G E A I   L     Y
 3 N A B L E   P A L U  S
 4 G R O N D E R   E M  I  R
 5 E   T   E T A M P E  R
 6 C E S   H   A R T E  L
 7 C U R A T E L L E    T  E
 8 O L   B A R   D   O     E
 9 N A P E L   P O M P  E
10 E S   L I M I N A I  R  E
11 S I L O   E N N U I
12 D E T E N U   E A M  E  S
```

Jeu 19

	1	2	3	4	5	6	7	8	9	10	11	12
1	P	I	N	G	O	U	I	N		S	A	I
2	O	S	S	A		B		E	S	O		R
3	P	A		M	O	U	S	T	A	C	H	E
4	O	R	O	B	E		C	O	I		A	N
5	V		B	A	T	N	A		E	R	I	E
6		S	I	D	A		T	I		O	R	E
7	A	C	T	E		S		R	E	N	E	
8	S	A	U	R	I	E	N		N	D		E
9	A	N	A		P		O	B	V	I	E	R
10		D	I	R	E	C	T	I	O	N		N
11	N	E	R	A	C		E	L	Y		M	E
12		R	E	D	A	N		L	E	C	C	E

Jeu 20

	1	2	3	4	5	6	7	8	9	10	11	12
1	P	E	K	A	N		P	A	N	A	R	D
2	A	L	E	S	E	S		A	S	S	A	I
3	R	E	F	O	R	M	E	R		S		A
4	D	E	I		A		J	E	T	E	E	
5	O		R	E	C	T	A		A		C	D
6	N	I		L		A	C	A	N	T	H	E
7		C	L	I	O		U	S	A		E	V
8	P	A	U	M	E	L	L	E		P		I
9	S		G	I		A	E		C	A	P	E
10	O	R	A	N	T		R	A	M	E	U	R
11	A	N	N	E	C	Y		A		A	C	
12	S		O	R		B	U	R	I	N	E	R

Jeu 21

	1	2	3	4	5	6	7	8	9	10	11	12
1	L	A	R	M	I	E	R		C	A	M	E
2	E	M	U		B		A	M	I	B	E	
3	N	A	O	S		E	V	I	D	A	G	E
4	I	N	T	E	N	T	E	R		C		R
5	T		O	N	E	A	L		C	A	E	N
6	I	F		T	R	I		M	A		C	E
7	F	O	L	I	E		M	A	S	U	R	E
8		C	A	N	E	R		Z	E	L	E	
9	E		B	E		A	I	E		M	M	E
10	P	A	I	L	L	E	T	T	E		E	N
11	A	C	U	L	S		O	T	S	U		E
12	R		M	E	D	I	N	E		T	E	E

Jeu 22

	1	2	3	4	5	6	7	8	9	10	11	12
1	E	M	P	A	T	T	E	R		D	A	C
2	I	O	L	E		M	U	E	R		S	O
3	D	U	A	R	T	E		S	A	L	E	M
4	E	L		O	A	S	I	S		I		M
5	R	A	N	D		E	C	O	T		C	A
6		G	A	Y	A		A	R	I	E	L	
7	V	E	I	N	E	R		T	A	C	O	N
8	I		R	E	D	A	N		N		P	S
9	B	A	N		E	N	E	L		P	O	
10	I	R		S		C	O	U	V	E	R	T
11	C	A	L	A	M	E		G	A	N	T	
12	E	L	V	E	N		B	O	R	N	E	R

Jeu 23

	1	2	3	4	5	6	7	8	9	10	11	12
1	J	A	Q	U	E	T	T	E		L	E	A
2	A	C		P		M	A	C	R	E		V
3	C	O	P	A	L		B	A	O	U	L	E
4	O	R	I	S	S	A		L	U		A	N
5	B	E	C		D		B	E	S	T		T
6	U		A	E		T	R		S	A	F	I
7	S	E	R	V	I	L	I	T	E		L	N
8		O	D	I	N		O	G	L	I	O	
9	P	L	A	N	C	O	N		E	R	N	E
10	I	N	C	A	R	N	A	T		D	R	
11	F	E		E		B	E	R		S	R	I
12	R		O	R	E	E		C	O	R	E	E

Jeu 24

	1	2	3	4	5	6	7	8	9	10	11	12
1	I	N	G	U	I	N	A	L		S	E	C
2	N	I		B	R	A	D	Y	P	E		E
3	C	O	D	A		R	E	C	U	E	I	L
4	O	L	E	C	R	A	N	E		S	E	L
5	N	O	S	A		T	N	P		P	E	
6	G		T	E	M	A		E	R	I	E	
7	R	O	I		E	A	U		I	N	R	I
8	U	S	T	E	R		S	I	M	A		S
9		M	U	R		V	A	L	I	C	H	A
10	S	I	E	N	N	E		I	T	T		R
11	A	U	R	E	S		F		I	I	I	
12	S	M		E		G	R	I	F	F	O	N

Jeu 25

	1	2	3	4	5	6	7	8	9	10	11	12
1	S	E	P	T	I	Q	U	E		C	E	A
2	E	P	I	R	E		B	L	T		D	D
3	V	I	S	O		J	A	C	O	B	E	E
4	E	N	E	M	A		C	H	U	T		Q
5	R	E		B	A	R		E	L	U	R	U
6	I		F	E	R	I	R		A		A	A
7	T	E	R		E	L	A	M		P	E	T
8	E	G	A	S		A	N	O	N	E		E
9	O	I	T	A		C	I		T	S		
10	D		S	E	R	P	E		A	R	E	S
11	A	M	E	R	E	S		E	R	I	N	E
12	C	U	R	E	L		T	U	N	N	E	L

Jeu 26

	1	2	3	4	5	6	7	8	9	10	11	12
1	M	A	N	I	F	O	L	D		C	R	U
2	A	L	I	S	E	S		A	S	A	D	
3	C	O	N	S	O	L	E		A	B		E
4	H	E		A	D	O	P	T	I	O	N	S
5	E	S	P		A		A	R	G	U	S	
6	F		A	L	L	U	V	I	A	L		S
7	E	B	R	O		S	E	P		O	H	E
8	R	U	T	I	N	E		E	S	T	O	C
9	B	A	R	A		E	C		M			
10	D	A	G		B	A	R	B	O	T	E	R
11	U	L	E	M	A		S	I	L	U	R	E
12		E	R	A	B	L	E		A	B	E	R

Jeu 27

	1	2	3	4	5	6	7	8	9	10	11	12
1	F	U	R	E	U	R		C	E	R	C	E
2	A	R	E	L		I	A	S	I		H	L
3	V	I	M	I	N	A	L		D	R	A	A
4	R	E	P	R	E	N	D	R	E		T	N
5	E		L	E		S	E	U	R	A	T	
6	A	G	A		O		R	E		V	E	R
7	U	N	G	A	V	A		R	H	A	R	B
8		O	E	T	A		B		E	N	I	
9	O	S		O	T	T	O	N		T	E	E
10	R	I	O	N	I		R	O	S	A		V
11	B	E	N		O	R	E	E		G	A	O
12	E		C	A	N	A		L	I	E	G	E

Solutions

Jeu 28

Jeu 29

Jeu 30

Jeu 31

Jeu 32

Jeu 33

Jeu 34

Jeu 35

Jeu 36

Solutions

Jeu 37

	1	2	3	4	5	6	7	8	9	10	11	12
1	I	S	I	S		H		A	B	A	C	A
2	M	A	N	I	F	O	L	D		A		L
3	P	A	T	R	O	N	N	E	R		D	E
4	E	L	I		C	O		R	O	S	A	T
5	T	E		F	A	R	D		C	A	R	
6	I		T	A	L	A		G	A	B	E	S
7	G	A		T		I	L	L		A	S	
8	O	S	C	A	B	R	I	O	N		S	I
9		P	A	L	E	E		B	E	D	A	R
10	B	E	N	I	S	S	E	U	R		L	E
11	O		A	T	T		A	L	E	Z	A	N
12	L	U	R	E		H	U	E	E		M	E

Jeu 38

	1	2	3	4	5	6	7	8	9	10	11	12
1	S	P	I	C	U	L	E		A	R	A	C
2	Y	E	N		B	A	T	O	R		B	R
3	C	A	P	R	A		U	S	T	E	R	
4	O	N	U		C	A	V	E		N	I	O
5	M		T	S		D	E		B	A	C	
6	O	H		P	I	Q	U	R	E		O	S
7	R	E	V	E	R		S	A	D	A	T	E
8	E	R		C	E	R	E		E	R	S	
9		C	A	T		B		S	A	I		H
10	C	H	A	R	I		D	O	U	D	O	U
11	S	E	R	A	P	H	I	N		E	N	E
12		R	E	L	E	G	U	E	R		C	E

Jeu 39

	1	2	3	4	5	6	7	8	9	10	11	12
1	A	F	F	E	R	M	I	E	S		S	M
2	P	A	R	D	O	N		B	A	T	E	E
3	H	U	E		C		A	R	E		L	R
4	E	N	T	R	A	C	T	E		B		L
5	L	E	T	O		E	R		F	A	O	U
6	I	S	E	R	E		E	L	A	N	D	
7	E	S		Q	O	M		A	N	T	I	G
8		E	A	U		A	M	I	D	O	N	
9	R		C	A	R	L	E		A	U		H
10	A	B	O	L	I	T	I	O	N		C	U
11	A	I	T		P		S	E	G	H	I	A
12	B		E	M	E	S	E		O	S		I

Jeu 40

	1	2	3	4	5	6	7	8	9	10	11	12
1	A	I	K	I	D	O		A	N	N	I	E
2	L	A		F	I	L	A	G	E		N	O
3	G	L	O	S	S	I	T	E		O		L
4	I	T	E		P	E	T		C	A	T	I
5	D	A	T	E	U	R		P	E	S	E	E
6	E		A	M	T		P		F	I	C	
7	S	M		P	E	D	E	R	A	S	T	E
8		A	M	E	R	E		I	L		I	V
9	T	R	E	S		B	R	O	U	E	T	
10	A	B	L	A	T	I	O	N		T	E	L
11		R	O	G	A	T	O	I	R	E		E
12	B	E	N	E	S		N		A	L	B	E

Jeu 41

	1	2	3	4	5	6	7	8	9	10	11	12
1	P	L	O	T		B	A	R	B	A	D	E
2	A	I	R	E	R		S		O	M	A	N
3	S	A	L	M		G	A	L	L	O	N	
4	Q	I		A	G	A	M	I	E	S		B
5	U	S	E		A	L		S	T		M	A
6	I		C	A	L	I	C	E		S	U	R
7	N	A	R	A		B	A		C		R	A
8		B	I	R	M	I	N	G	H	A	M	
9	O	S	T		A		D		R	H	E	E
10	S	O	U	S	C	R	I	R	E		L	R
11	S	U	R	A	H		D	I	M	E		S
12	A	S	E	S		V	A	N	E	S	S	E

Jeu 42

	1	2	3	4	5	6	7	8	9	10	11	12
1	I	N	C	O	M	M	O	D	E		B	D
2	N	I	E	B	E		R	A	M	P	E	R
3	F	R	A	I	S	I	L		B	O	R	E
4	U	V		T	I	N		L	A	M		E
5	L	A	D		E	C	H	E		P	A	S
6	E	N	E	L		A	O	U	T	E	R	
7	A	L	O	I		F		H	E	U	R	
8	T		A	R	O	N		D	E		M	E
9	A	V		E		E	L	I	O	T		S
10	C	A	P	T	A	T	E	U	R		C	T
11	C	A	U	T	I	O	N		B	I	L	E
12	A	L	B	E	E		A	M	E	R	E	

Jeu 43

	1	2	3	4	5	6	7	8	9	10	11	12
1	R	A	K	I		B	A	G	A	S	S	E
2	H	U	A	R	T		S	E	B	U	M	
3	Y	T		E	U	D	E		R	R		R
4	T	A	C		B	A		A	I		R	U
5	I	N	O	U	I		A	S	T	R	E	E
6	N		C		S	U	R	S	E	O	I	R
7	E	P	A	R	T		C	I	R	O	N	
8		O	R	I	E	L		M		N		T
9	A	U	D	E		A	P	I	A		R	E
10	E	D	I	L	E		A	L	B	E	E	
11	G	R	E		D	O	L	E	R		N	F
12		E	R	N	E	E		R	I	P	E	R

Jeu 44

	1	2	3	4	5	6	7	8	9	10	11	12
1	A	R	Y	E	N		P	E	R	M	I	S
2	U	O		U		L	U	P	I	N		N
3	B	O	R		P	A	L	A	N		M	
4	E	N	U	G	U		T	R		T	E	E
5	S	T		H	A		C	A	C	H	E	T
6	T	A	R	B	O	U	C	H	E		A	I
7	E	L		A		R	E	I	M	S		R
8		C	A	R	R	A		E		P	I	E
9	C	A	R	D	A	G	E		M	A	S	
10	A	L	G	I	D	E		S	I		A	R
11	D	I	A	N	E		S	A	I	S	I	E
12	E	S	S	E		Z	E	E		B	E	Y

Jeu 45

	1	2	3	4	5	6	7	8	9	10	11	12
1	S	O	L	V	A	N	T		H	O	V	E
2	U	R	E	E		I	L	E	U	S		U
3	B	E	R	L	I	N		M	E	T	A	
4	S	E	N	A	T		T	U	L	I	P	E
5	I		E	N	E	M	A		V	E	I	L
6	D	A		I		A	L	F	A		D	U
7	E	S	O		P	I	C	A		R	E	R
8		A	F	P		G	A	R	D	E		U
9	Y		F		C	R		D	O	C	K	
10	A	P	I	S		E	R	I	N	E		E
11	L	A	C		F	U	I	E		S	I	S
12	A	L	E	S		R	A	R	E		N	E

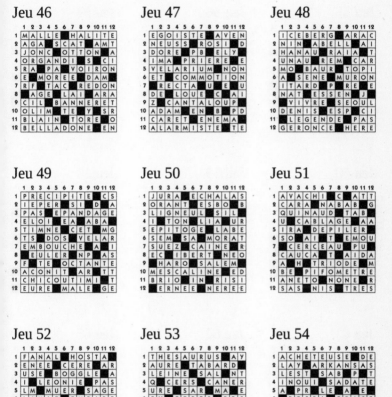

Solutions

Jeu 46

Jeu 47

Jeu 48

Jeu 49

Jeu 50

Jeu 51

Jeu 52

Jeu 53

Jeu 54

Solutions

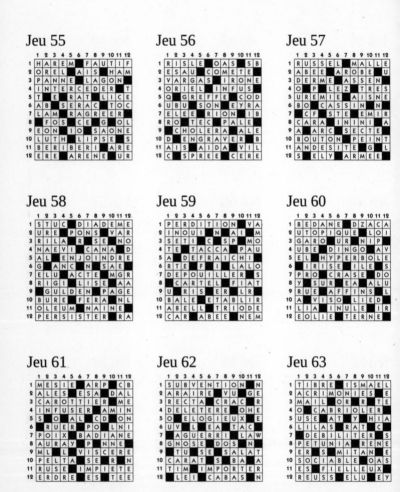

Jeu 55

```
   1 2 3 4 5 6 7 8 9 10 11 12
1  H A R E M     F A U  T  I  F
2  O R E L   A I S   H  A  M
3  P A N N E   L A G  O  N
4  I N T E R C E D E  R     T
5  T   E   R A T   L  I  C  E
6  A B   S E R A C   T  O  C
7  L A M   R A G R E  E  R
8    F O S   C E   G     O  L
9  E O N   I O   S A  O  N  E
10 L U T H   L I P S  E     S
11 B E R I B E R I    A  R  E
12 E R E   A R E N E     U  R
```

Jeu 56

```
   1 2 3 4 5 6 7 8 9 10 11 12
1  R I S L E   O A S    S  B
2  E S A U   C O M E T  E
3  V A R G A S   I R O  N  E
4  O R I E L   I N F U  S
5  Q   G R E F F E   C  O  D
6  U B U   S O N   E Y  R  A
7  E L E E   R I O N    I  B
8  R O   T E C   P A L  E
9    C H O L E R A   A  L  E
10 D   E N G R A V E R     B
11 A I S   A I D A   V  I  L
12 C   S P R E E   C E  R  E
```

Jeu 57

```
   1 2 3 4 5 6 7 8 9 10 11 12
1  R U S S E L   M A L  L  E
2  A B E E   A R O B E     U
3  D E R M E   A S S E  N
4  O   P   L E Z   T R  E  S
5  U R E M I E   A I S  N  E
6  B O   C A S S I N    N
7  C F   S T E   E M I  R
8  C A R A   I N I N I     A
9  A   A R C   S E C T  E
10 B O U T O N   P E I  N  T
11 A N D E S I T E   G  L
12 S   E L Y   A R M E  E
```

Jeu 58

```
   1 2 3 4 5 6 7 8 9 10 11 12
1  S T U C     D I A D  E  M  E
2  U R E   P O N S   V  A  R
3  R I L A   R   S E    N  O
4  N A E V I   C A N A     D
5  A L   E N J O I N D  R  E
6  G   A N C   N   S A  E
7  E L U   A C T E   M  G  R
8  R I G I   L I S E    A  A
9    G U L D E N   P A  G  E
10 B U R E   F E R A    N  L
11 O L E U M   N A I N  E
12 P E R S I S T E R    R  A
```

Jeu 59

```
   1 2 3 4 5 6 7 8 9 10 11 12
1  P E R D I T I O N    V  A
2  I N O U I   N   A I     M
3  S E T I   C   S P    M  O
4  T E   T A C C A   P  A  U
5  A   D E F R A I C H  I
6  R T E   F   I   L A  L  O
7  D E P O U I L L E R     S
8    C A R T E L   F I  A  T
9  U   R I S   E R   L     R
10 B A L E   E T A B L  I  R
11 A B E L L   T R I O  D  E
12 C A R   A B E E   N  E  M
```

Jeu 60

```
   1 2 3 4 5 6 7 8 9 10 11 12
1  B E D A N E   D Z A  C  A
2  U T O P I Q U E   L  O  I
3  G A R O   U R   N I  P
4  U B E   D I N G O    A  V
5  E L   H Y P E R B O  L  E
6  I R I S E   I L E    S
7  P R O   C R A S E    O  O
8  Y   S U R   E A   A  L  U
9  R U E   A F F I N S     L
10 A   V I S O   L I E  D
11 L I A   I N U L E    I  R
12 E O L I E   T E R N  E
```

Jeu 61

```
   1 2 3 4 5 6 7 8 9 10 11 12
1  M E S I E   A R P    C  B
2  A L E S   E S A   D  A  L
3  C A R O T T I E R    M  E
4  I N F U S E R   A M  I  N
5  S   O   A L   C D    O  N
6    R U E R   P O   L  N  I
7  P O I X   B A D I A  N  E
8  A U R A Y   P   N N  E
9  M L   L   V I S C E  R  E
10 P E L T A   S E   R     N
11 R U S E   I M P I E  T  E
12 E R D R E   E S   T  E  E
```

Jeu 62

```
   1 2 3 4 5 6 7 8 9 10 11 12
1  S U B V E N T I O N    N
2  A R A I R E   V U   G  E
3  R E C T A   C R A C     R
4  D E L E T E R E   O  H  E
5  O   E L O G I E U X     E
6  U V   L   E A   T A  C
7    A G U E R R I   L  A  W
8  G N O S E   D O S    N
9    T U   S E   S A L  A  T
10 C A R A T   S   B A     A
11 T I M   I M P O R T  E  R
12   L E I   C A B A S
```

Jeu 63

```
   1 2 3 4 5 6 7 8 9 10 11 12
1  T I B R E   I S M A  E  L
2  A C R I M O N I E S     E
3  M A I L   O R   R    T  E
4  O   C A B R I O L E  R
5  U S E   A T   Y   H  I  A
6  L I L A S   R A T    C
7  D E B I L I T E R    S
8  P E T U N I A   R E  N  E
9  E R   S   M I T A N     E
10 S O C I A B L E   O  A  S
11 E S   F I E L L E U  X
12 R E U S S   E L U    E  Y
```

Solutions

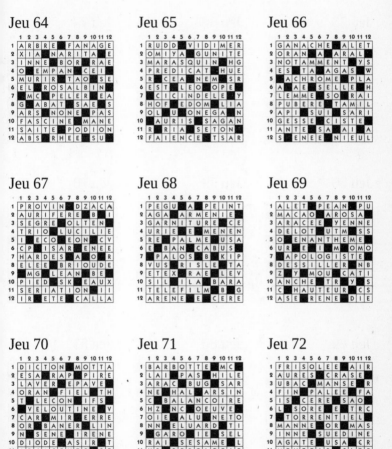

Jeu 64

	1	2	3	4	5	6	7	8	9	10	11	12
1	A	R	B	R	E		F	A	N	A	G	E
2	X	I	A		N	A	R	I	T	A		E
3	I	N	N	E		B	O	R		R	A	E
4	O		E	M	P	A	N		C	E	I	
5	M	U	R	I	R		T	A	O		S	E
6	E	L		R	O	S	A	L	B	I	N	
7		M	C		P	E	L	E	R		E	A
8	G		A	B	A	T		S	A	E		S
9	A	R	S		N	O	N	E		P	A	S
10	F	A	S	C	I	N	E		M	A	N	E
11	S	A	I	T	E		P	O	D	I	O	N
12	A	B	S		R	H	E	E		S	U	

Jeu 65

	1	2	3	4	5	6	7	8	9	10	11	12
1	R	U	D	D		V	I	D	I	M	E	R
2	O	M	I	Y	A		G	U	N	I	T	E
3	M	A	R	A	S	Q	U	I	N		H	G
4	P	R	E	D	I	C	A	T		H	U	E
5	R		C	E	A		N	E	M		S	R
6	E	S	T		L	E	O		O	P	E	
7	C	I	C	I	N	D	E	L	E		Y	
8	H	O	F		E	D	O	M		L	I	A
9	O	L		U		O	N	E	G	A		N
10		A	U	R	I	S		S	A	G	A	N
11	R		R	I	A		S	E	T	O	N	
12	F	A	I	E	N	C	E		T	S	A	R

Jeu 66

	1	2	3	4	5	6	7	8	9	10	11	12
1	G	A	N	A	C	H	E		A	L	E	T
2	O	R	A	N		A		A	R	A	L	
3	N	O	T	A	M	M	E	N	T		Y	S
4	E	S		T	A		A	G	A	S		W
5		A	C	H	R	O	M	E		P	L	A
6	A		A	E		S	E	L	L	E		H
7	L	E	M	M	E		S	O		R	A	I
8	P	U	B	E	R	E		T	A	M	I	L
9	A	P	I		S	U	I		S	A	R	I
10	G	E	S	S	E		C	I	S	T	E	
11	A	N	T	E		S	A		A	I		A
12	S		E	N	E	E		N	I	E	U	L

Jeu 67

	1	2	3	4	5	6	7	8	9	10	11	12
1	P	R	O	V	I	N		D	Z	A	C	A
2	A	U	R	I	F	E	R	E		B		I
3	S	E	G	R	E		O	L	T	E	N	
4	T	R	I	O		L	U	C	I	L	I	E
5	I		E	C	O		E	O	N		C	V
6	C	P		I	S	A	R		E	N	E	E
7	H	A	R	D	E	S		A	O		R	
8	E	L	E	E		B	R	I	O	U	D	E
9		M	G		L	E	A	N		B	E	
10	P	I	E	D		S	K		E	A	U	X
11	S	E	R	I	A	T	I	O	N		I	I
12	I	R		E	T	E		C	A	L	L	A

Jeu 68

	1	2	3	4	5	6	7	8	9	10	11	12
1	P	E	G	U		A		P	E	I	N	T
2	A	G	A		A	R	M	E	N	I	E	
3	G	A	R	N	I	T	U	R	E		C	E
4	U	R	I	E		E		M	E	N	E	N
5	R	E		P	A	L	M	E		U	S	A
6	E		B	A	N		C	A	B	U	S	
7		P	A	L	O	S		B		K	I	P
8	V	U	S		R	I	S	L	E		T	A
9	E	T	E	X		R	A	E		L	E	V
10	S	I	L		I	L	A		B	A	R	A
11	T	E	L	E	F	I	L	M		B		G
12	A	R	E	N	E		E		C	E	R	E

Jeu 69

	1	2	3	4	5	6	7	8	9	10	11	12
1	A	L	E	T		P	E	A	N		P	U
2	M	A	C	A	O		A	R	O	S	A	
3	A	R	A	C	E	E		Y	E	N	N	E
4	D	E	L	O	T		U	T	M		S	S
5	O		E	N	A	N	T	H	E	M	E	
6	U	R		E	I		M		I		O	M	O
7		A	P	O	L	O	G	I	S	T	E	
8	D	E	S	S	I	L	L	E	R		N	B
9	Z		Y		M	O	U		C	A	T	I
10	A	N	C	H	E		T	R		Y		S
11	C		H	A	U	T	E	U	R		C	S
12	A	S	E		R	E	N	E		D	I	E

Jeu 70

	1	2	3	4	5	6	7	8	9	10	11	12
1	D	I	C	T	O	N		M	O	T	T	A
2	E	S	A		R	A	P		P	I	R	E
3	L	A	V	E	R		E	P	A	V	E	
4	O	R	A	N		F	I	E	L		T	H
5	T		L	E	C	O	N		I	F	S	
6	V	E	L	O	U	T	I	N	E		V	
7	C	A	R		M	I	R		E	R	R	E
8	O	R		B	A	N	E	R		L	I	N
9	N		S	E	N	E		I	R	E	N	E
10	D	I	O	D	E		A	S	I	R		T
11	A	D	J	A	C	E	N	T	S		S	T
12	T		A	R	I	U	S		S	O	R	E

Jeu 71

	1	2	3	4	5	6	7	8	9	10	11	12
1	B	A	R	B	O	T	T	E		M	C	
2	L	A	I		P	A	S		H	I	L	E
3	A	R	A	C		B	U	G		S	A	R
4	N	E		H	A	L		A	R	S	I	N
5	C		B	A	L	A	N	C	O	I	R	E
6	H	Z		N	C		O	E	U	V	E	
7	O	I	E		A	L	U		N	E	T	O
8	N	N		E	L	U	A	R	D		T	I
9		G	A	R	O		I	E		S	E	L
10	R	A	I		S	E	S	A	M	E		L
11	U	R		P	E	D	O	L	O	G	I	E
12	E	O	N		S	E	N	E		A	B	

Jeu 72

	1	2	3	4	5	6	7	8	9	10	11	12
1	F	R	I	S	O	L	E	E		A	I	R
2	A	U	R	E	S		C	R	A	S	E	
3	U	B	A	C		M	A	N	S	E		R
4	F	I	N		P	A	L	E	E		F	A
5	I	S		C	E	R	E		S	A	O	
6	L		S	O	R	E		E		T	R	C
7		T	O	R	R	E	N	T	I	E	L	
8	M	A	N	N	E		O	R		M	A	S
9	I	N	N	E		S	U	E	D	I	N	E
10	A	G	A	T	E		U	S	A		C	R
11	M	O	N	T	O	I	R		C	L	E	F
12	I	N	T	E	N	T	E	R		A	R	

Jeu 73

	1	2	3	4	5	6	7	8	9	10	11	12
1	L	I	P	O	P	H	I	L	E		C	A
2	A	L	E	S	E	S		A		B	O	A
3	G	A	R	E	R		S	U	C	E	U	R
4	N		C	E	R	E		S	I	N	D	
5	I	F	E		E	L	B	E		G	E	O
6	E	O	A		A	O	R		B	A	R	N
7	U	R	U	B	U		O	E	I	L		C
8		F	E	C	O	N	D		N	I	S	
9	S	A	L	E		S	E	T	E		A	I
10	T	I	E	D	E		R	E	T	R	O	
11	I	R		E	V	E	I	L		A	N	S
12	F	E	R	R	E		E	L	B	E	E	

Jeu 74

	1	2	3	4	5	6	7	8	9	10	11	12
1	A	D	U	L	A		M	B	A		E	C
2	V	A	R	A	P	P	E		S	O	M	A
3	I	N	N		P	E	L	T	E		B	B
4	G	A	E	T	A		A	M		L	U	I
5	N	E		A	R	A	N		S	E	N	
6	O		E	M	E	R	S	I	O	N		E
7	N	S		B	I	N	O	C	L	E	S	
8	K	H	O	L		N	T		R		B	
9	L	I	G	U	L	E		U	L	E	M	A
10	E		R	E	Y	E	S		E	A	U	
11	M	U	R	I	R		N	O		I	M	
12	I	R	A	N		B	A	R	B	E	L	E

Jeu 75

	1	2	3	4	5	6	7	8	9	10	11	12
1	L	I	P	O	S	O	M	E		D	A	C
2	U	S	A		A	N	E	T	O		M	O
3	X	E	R	E	S		R	E	V	E	I	L
4	A	R	A	L		S		L	A	M	A	
5	T	E		B	R	I	O		T	A	N	A
6	I		F	E	U	L	E	M	E	N	T	
7	O	V	I	E	D	O		O		C	E	T
8	N	I	L		D		R	U	T	H		H
9		O	E	A		P	A	L		E	R	E
10	A	R	T	I	C	H	A	U	T		A	N
11	O	N	E	G	A		B	R	A	N	D	O
12	F	E	R	U	L	E		E	U	P	E	N

Jeu 76

	1	2	3	4	5	6	7	8	9	10	11	12
1	B	U	R	T	O	N		A	R	B	R	E
2	A	M	E		R	A	M	I	F	I	E	
3	J	A	C	A	S	S	E	R		G	A	P
4	O	R	E	L		S	R		L	A		T
5	U		S	E	T	E		B		M	D	
6	E	N		S	E		P	A	P	I	O	N
7	A	D	E	N	T		T	A	E	G	U	
8	L	O	I		E	R	B	I	L		E	
9	U		L	A	M	I	E		E	C		L
10	F	O	U		E	N	N	A		I	R	E
11	F	R	E	O	N		E	N	A		O	R
12	A	B	R	U	T	I	S	S	A	N	T	E

Jeu 77

	1	2	3	4	5	6	7	8	9	10	11	12
1	F	A	Y	A	R	D		P	E	L	T	A
2	L	I	E	G	E		T	O	P	I		C
3	A	D	N	E		H	A	M	A		N	A
4	M	A	N		A	E		M	I	R		J
5	A		E	T	A	M	P	E	R		B	O
6	N	D	R		O	R	L		L	E	U	
7	T	A	P	I	S	S	I	E	R		L	
8	C	A	P	I	T	E		A	R	T	A	
9	R		P	O	L	A	R	I	S	E	R	
10	A	C	I	D	O	S	E	S		D	A	B
11	A	L	O	I		E		S	I	A	M	
12	B	E	N	E	S		G	A	R	N	I	R

Jeu 78

	1	2	3	4	5	6	7	8	9	10	11	12
1	L	U	N	U	R	E		R	E	C	T	A
2	I	L	A		O	R	D	O		A	G	E
3	M	E	R	L	I	N		I	B	N		D
4	I	M	A	O		S	I	L	L	A	G	E
5	C	A		B	A	T		L	E	R	E	
6	O		F	E	S		F	E	U		O	N
7	L	A	I		S	U	E	R		A	M	I
8	E	L	C	H	E		R		B		E	V
9	L	E	A		F	I	N	E	T	T	E	
10	L	I	L	L	O		R		T	A	R	O
11	S	A	L	E	R	S		P	A		I	L
12	D		E	R	S	E	A	U		L	E	E

Jeu 79

	1	2	3	4	5	6	7	8	9	10	11	12
1	P	O	R	T	E	U	R		S	I	M	A
2	I	M	A	M		T	A	C	E	T		A
3	G	R	E	E	R		S	A	N	E	M	
4	N	I		S	A	C		R	A	M	E	E
5	O		P	E		H	O	T	U		T	M
6	N	I	L		C	A	R	O		T	A	B
7		C	A	B	O	T	I	N	E	R		O
8	B	A	I	L	L	O	N		O	U	R	S
9	R		D	O		N		I	N	F	U	S
10	A	R	E	N	E		S	B		F		U
11	G	O	U	D	R	O	N		B	E	R	R
12	A	B	R	E	G	E		N	E	R	E	E

Jeu 80

	1	2	3	4	5	6	7	8	9	10	11	12
1	N	O	R	D	I	Q	U	E		I	I	
2	A	B	E	E	S		T	R	O	L	L	E
3	G	O	R	G	E	R		S	A	L	A	N
4	O	L		E	R	N	E		H		M	
5	Y	E	B	L	E		B	A	U	D		S
6	A		R	E		C	A	R		A	P	O
7		M	A	R	G	O	T	T	E	R		L
8	F	O	I		L	I	S		P	I	R	E
9	A	B		I	O	N		S	A		A	N
10	R	I	A	N	S		C	A	R	L	I	N
11	A	L		D	E	C	R	I		I	R	E
12	D	E	T	E	R	M	I	N	E		E	L

Jeu 81

	1	2	3	4	5	6	7	8	9	10	11	12
1	E	N	C	L	U	M	E		C	R	A	C
2	N	A	R	A		A	M	B	R	E	S	
3	Z	O	E		P	I	S	E		B	E	C
4	Y		S	I	A	L		C	R	A	S	E
5	M	E	T	R	E		C	H	U	T		N
6	E	M		R	A	A	B	E		T	A	S
7	B	A	I		M		U	R	U	S		
8	B	A	L	T	I	M	O	R	E		A	B
9	L		L	A	D	I	N		D	O		O
10	A	M	I	B	E		C	L	I	M	A	X
11	P		A	L	E	T		S	E	R	P	E
12	S	M		E	L	A	N	D		I	T	

Jeu 82

	1	2	3	4	5	6	7	8	9	10	11	12
1	C	A	R	V	A		C	H	A	M	P	I
2	U	R	I		A	D	O		C	A	E	N
3	I	M	A	O		A	R	A	C		M	O
4	V	E		C	B	C		R	O	S	E	
5	R	E	G	E	R		C	A	L		X	E
6	E		R	O	I	T	E	L	E	T		M
7	R	E	A		O	E	A		R	I	R	E
8		M	I	L		P		T		N	I	S
9	U		L	I	A	I	S	O	N		F	E
10	B	A	L	A	N	C	E	M	E	N	T	
11	A	B	E	R	S		C	A	R	A		D
12	C	A	R	D	E	R		R	I	O	N	I

Jeu 83

	1	2	3	4	5	6	7	8	9	10	11	12
1	V	E	N	A	L		R	O	U	G	E	
2	I	L	I		E	I	D	E	R		B	I
3	T	A	N	A	R	O		T	I	T	E	
4	I	N		B	O		H	A		I	R	E
5	M		J	E	T	T	E		B	A	T	
6	C	O	R		E	U	P	E	N		N	
7	G	O	U	R	A		R	E	G		M	A
8	E	M	B	A	S	E		B	U	R	O	N
9		M	A	T	S		O	R	E	E		J
10	M	U	R	I	E	R		I	T	A	M	I
11	N	E	B	O		A	G	N	E	L	I	N
12		R	E	N	T	E		E	R	E		G

Jeu 84

	1	2	3	4	5	6	7	8	9	10	11	12
1	G	I	R	A	F	E		M	A		A	A
2	R	A	I	R	E		M	U	F	T	I	
3	O	L	A	V		R	A		F	O	R	S
4	U	T		E	C	A	R	T	E	L	E	R
5	P	A	L		A	E	T	I	T	E	S	
6	A		A	R	T		A		E	T		L
7	G	U	I		A	R	G	A	S		G	E
8	E	S	C	A	R	B	O	T		P	R	E
9		S	I	M	A		N	O	R	I	A	
10	D	E	S		C	G		N		N	I	D
11	A	L	E	R	T	E	S		Z	O	N	A
12	B		R	O	E	S	T	I		T	E	X

Jeu 85

	1	2	3	4	5	6	7	8	9	10	11	12
1	A	G	N	O	S	I	E	S		V	A	U
2	S	A	I		E		P	A	L	A	N	
3	S	U	L	U		V	I	B	I	C	E	S
4	I	L	A		P	A	R	A	S	I	T	E
5	G	O	N	E		L	E		E	V	O	E
6	N	I		P	A	L		T		E		S
7	E	S	C	A	B	E	C	H	E		B	
8	R		H	U	R	E		A		B	O	A
9		S	A	F	I		S	O	D	I	U	M
10	P	O	U	R		P	U	N	A		S	O
11	D	I	V	E	T	T	E		L	A	I	S
12		F	E	R	A		R	A	E		N	

Jeu 86

	1	2	3	4	5	6	7	8	9	10	11	12
1	H	O	U	B	L	O	N		P		G	Y
2	A	R	L	E	S		O	N	E	G	A	
3	N	E	M		D	O	U	A	N	I	E	R
4	S	E		V		S	E	P	S		T	E
5	E		S	A	L	T		U	B	A	C	
6	P	A	L	A	N		A	M	R		E	
7	L	O	B	E		I	L	L		A	B	S
8	A	C	O	R	E	S		T	O	U	L	
9	T	H	U	I	R		C	O	R	N	U	E
10	S	A	L	A	D	O		S	A		T	B
11	D	E	N	R	E	E		N	E	E	L	
12	N	E	R	E	E		S	U	T	U	R	E

Jeu 87

	1	2	3	4	5	6	7	8	9	10	11	12
1	H	O	R	T	E	N	S	I	A		C	H
2	Y	B		E	L	E	I	S		G	O	A
3	D	E	C	R	O	T	T	E	R		L	R
4	R	I	O	N	I		T	R	I	P	L	E
5	O	R	N	E		R	E	E	L		I	T
6	M		T		C	A	L		A	N	E	
7	E	P	A	R	T		L	V		A	R	A
8	L	A	M	E		R	E	I	M	S		D
9		D	I	G	U	E		B		H	I	E
10	C	O	N	E		M	A	R	E	E		N
11	C	U	E	R	S		L	E	S	E	R	
12	R	E	R		C	O	I	R		D	R	A

Jeu 88

	1	2	3	4	5	6	7	8	9	10	11	12
1	B	A	M	B	O	C	H	E		C	A	P
2	A	R	E		M	A	G	N	E	T	O	
3	Z	O	U	L	O	U		E	N		F	E
4	I	N	R	I		C	A	L	L	A		V
5	N		T	A	B	A	C		E	M	S	
6	A	R	I	A		C	A	V	E		T	
7	G	L	I	S	S	I	E	R	E		G	A
8	A	I	S		T	E	S	T		C	E	P
9	L		S	A	I		S	A	M	O	L	E
10	A	U		L	E	I		A	R	E	C	
11	H	A	R	E	L		T	Q	S		R	U
12	R	E	C	E	N	S	I	O	N		L	

Jeu 89

	1	2	3	4	5	6	7	8	9	10	11	12
1	T	A	R	O		V	O	C	A	B	L	E
2	R	I	E	U	X		R	A	M	I	E	
3	A	D	Q		A	I	S	N	E		A	H
4	H	A	U	B	A	N		A	R	P		S
5	I		I	A	L	T	A		S	I	C	
6	R	I	S	I		E	D	E		S	A	S
7		D	I	S	T	R	I	B	U	E	R	
8	M	A	T		O		P	O	T		A	R
9	A		O	U	R	D	O	U		C		B
10	S	P	I	R	E		S	E	R	A	C	
11	S		R	U		S	E		A	R	O	N
12	A	L	E	S	E		S	I	M	O	U	N

Jeu 90

	1	2	3	4	5	6	7	8	9	10	11	12
1	A	D	J	U	G	E		B	K		C	S
2	S	U		B	A	N	C	O		D	B	
3	T	A	T	A	R		O	X	E	R		P
4	O	L	E	C	R	A	N	E		A	P	O
5	N	I	S		I	N	D	U	R	A	I	N
6	T		I	G	N	O	R	E		C	T	
7	S	E	N	S	U	E	L		A	L	O	I
8	U		A		E		E	C	L	A	T	
9	R	O	S	E		A	A	R	E		E	H
10	F	E	S		I	G	N	E		A	R	E
11	E	T	E	X		A	C	O	R	E		R
12	R	A		E	S	S	E	N		G	U	E

Jeu 91

Jeu 92

Jeu 93

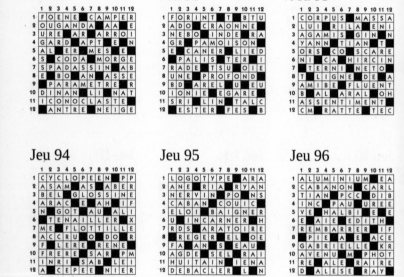

Jeu 94

Jeu 95

Jeu 96

Jeu 97

Jeu 98

Jeu 99

Jeu 100

```
   1 2 3 4 5 6 7 8 9 10 11 12
1  M A L E ▮ ▮ B A N D A M A
2  E P I G E ▮ ▮ F A R ▮ A
3  N I G E R I A ▮ ▮ A C I S
4  H A N D ▮ ▮ C R E V A N T
5  I ▮ I E N A ▮ S E N ▮ E
6  R A T ▮ E ▮ C O ▮ A A
7  ▮ D E T R E M P E R ▮ E
8  I N ▮ H A L ▮ ▮ E N D O S
9  S ▮ M U C O R ▮ ▮ J E U
10 A S E R ▮ ▮ D I V O R C E
11 A ▮ A S S E N ▮ U ▮ H S
12 C E T O N E ▮ ▮ G E N E T
```

Jeu 101

```
   1 2 3 4 5 6 7 8 9 10 11 12
1  S T I F ▮ P A S S A G E
2  O R G O N ▮ L E ▮ V ▮ U
3  L A N C O M E ▮ E E E
4  U B E ▮ P A T A N ▮ R D
5  B E ▮ B A N ▮ S E G R E
6  L ▮ V O L E T T E ▮ E R
7  E R I E ▮ S U I ▮ I R A
8  ▮ B O N I ▮ R ▮ C O ▮ N
9  A ▮ L ▮ P I N O T ▮ C G
10 P R O F E R E R ▮ S A E
11 I N N ▮ C E P E E ▮ P R
12 A ▮ E N A ▮ S E N N E
```

Jeu 102

```
   1 2 3 4 5 6 7 8 9 10 11 12
1  F L E M I N G ▮ B ▮ A B
2  L A N D E ▮ A D O U B A
3  U N I ▮ ▮ P A L A U ▮ A S
4  E C ▮ R E A ▮ S E N ▮ Q
5  T O M A R ▮ A S E ▮ P U
6  ▮ M E S ▮ A L I ▮ Z E E
7  L E S T E M E N T ▮ I
8  I ▮ S A L A T ▮ R E N I
9  P C ▮ F A N ▮ B O L D O
10 P A L A N ▮ ▮ C A L E R
11 E M I R ▮ B O U L I E R
12 E P A I R ▮ B R ▮ S ▮ N
```

Jeu 103

```
   1 2 3 4 5 6 7 8 9 10 11 12
1  B R I Q U E T T E ▮ N B
2  U O ▮ O T T O ▮ R E A L
3  S I A M ▮ A U N I S ▮ A
4  Q ▮ D ▮ P I L O N ▮ C G
5  U K A S E ▮ O R ▮ E A U
6  E S P ▮ S A U M A T R E
7  R A T T E ▮ P A I E N
8  R A ▮ R A E L ▮ ▮ L A C
9  C ▮ T A ▮ L ▮ I B ▮ G O
10 S A I N B O I S ▮ S E L
11 I I O N I E ▮ E T A ▮ E
12 O R N E ▮ S E R G E N T
```

Jeu 104

```
   1 2 3 4 5 6 7 8 9 10 11 12
1  P O N C T I O N ▮ G A O
2  O R A N ▮ D ▮ E T E U F
3  I N C ▮ P O E T E ▮ N F
4  V E R M I L L O N N E R
5  R ▮ E U P E N ▮ C A ▮ E
6  E N ▮ S E ▮ E M E R I
7  ▮ A L C E E ▮ U ▮ A M T
8  B R O ▮ A S E G A ▮ A A
9  E ▮ A R C ▮ O U R S ▮ N
10 C A P I T U L E R ▮ T A
11 T R I N ▮ L I T A S ▮ R
12 A N S E L M E ▮ S O T O
```

Jeu 105

```
   1 2 3 4 5 6 7 8 9 10 11 12
1  F U L D A ▮ J A S P E R
2  E M O U L U ▮ S A I D A
3  T A C ▮ B O N I T E ▮ M
4  U R U B U ▮ A R I U S
5  S Q ▮ S A M E R ▮ E ▮ IE
6  U V ▮ B I ▮ D E ▮ M O S
7  E O C E N E ▮ C R A N
8  C A L E M B O U R ▮ S
9  M A L I ▮ ▮ P A T ▮ C R U
10 E T E S I E N ▮ C H A M
11 T I ▮ M T S ▮ M O E R E
12 A F F E T E S ▮ B R E N
```

Jeu 106

```
   1 2 3 4 5 6 7 8 9 10 11 12
1  B O U C L I E R ▮ L O S
2  A L G I E S ▮ A R E ▮ U
3  D E I ▮ A B S ▮ A G I R
4  I N N E ▮ A I S N E ▮ C
5  N ▮ E L I ▮ M A G ▮ S O
6  E S ▮ A N N A M ▮ H O T
7  P O N C E ▮ A I G U
8  B A U ▮ I T A R D ▮ T G
9  L ▮ V I S O N ▮ E L E E
10 A R R O I ▮ S T S ▮ N S
11 P ▮ E L O D E E ▮ S I S
12 S I R E N E ▮ E V E R E
```

Jeu 107

```
   1 2 3 4 5 6 7 8 9 10 11 12
1  D U O D E N U M ▮ D A C
2  E S O ▮ V ▮ B I C ▮ C E
3  C E R V E A U ▮ H O I R
4  H ▮ T A R N ▮ M E I S E
5  A G ▮ S E T I ▮ V E ▮ T
6  U R N E ▮ E R I E ▮ M
7  X I A ▮ S E ▮ S U R O S
8  ▮ M O I E ▮ G E ▮ A L E
9  D A ▮ P E E L ▮ A M O N
10 A C C E S S O I R E S
11 D E ▮ C ▮ A M O U ▮ S P
12 A R N A Q U E ▮ M U E R
```

Jeu 108

```
   1 2 3 4 5 6 7 8 9 10 11 12
1  B I L L O T ▮ R O I ▮ T
2  O M A N ▮ O E ▮ E N T E
3  E P I ▮ C C ▮ L I N E R
4  G U E P E ▮ D A L ▮ S R
5  E D ▮ A R I A ▮ S A L E
6  ▮ E C R A N ▮ M ▮ B A U
7  H U A R T ▮ C E R E ▮ X
8  ▮ R D A ▮ L ▮ D A R D
9  A ▮ R I D E A U ▮ S R I
10 G R A N D E S S E ▮ A S
11 A U G E T ▮ S E D A K A
12 S ▮ E R ▮ D E R O B E R
```

Solutions

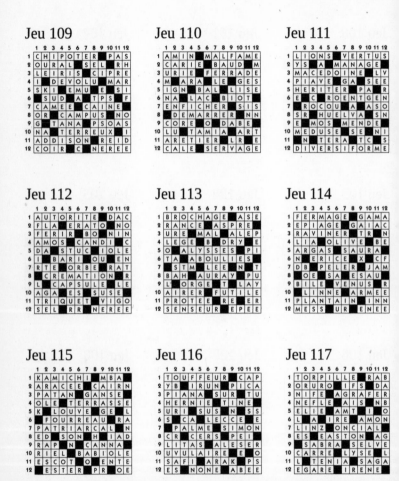

Jeu 109

```
   1 2 3 4 5 6 7 8 9 10 11 12
 1 C H I P O T E R     P A S
 2 O U R A L   S E L   R H
 3 L E I R I S   C I P R E
 4 I   D E V O L U   M A R
 5 S K I   E M U   E   S I
 6   S U D   A   T P S   F
 7 C A M E E   C A I N E
 8 O R   C A M P U S   N O
 9 G   T A N A   P S O A S
10 N A   T E R R E U X   I
11 A D D I S O N   R E I D
12 C O I R   C   N E R E E
```

Jeu 110

```
   1 2 3 4 5 6 7 8 9 10 11 12
 1 A M I N   M A L F A M E
 2 C A R I E   B A U D   M
 3 U R I E   F E R R A D E
 4 M   A R A   L E   G E S
 5 I G N   B A L   L I S E
 6 N A   L A C   B I O T
 7 E N F I C H E R   S I S
 8   D E M A R R E R   N N
 9 C O R E   O   D A B E
10 L U   T A M I A   A R T
11 A R E T I E R   L R   E
12 C A L E   S E R V A G E
```

Jeu 111

```
   1 2 3 4 5 6 7 8 9 10 11 12
 1 L I O N S     V E R T U S
 2 Y S   A   M A N A G E
 3 M A C E D O I N E   L V
 4 P I A V E   G A   S E E
 5 H E R I T E R   P A   R
 6 E C     R O E N T G E N
 7   R O C O U   A   A S O
 8 S R   H U E L V A   S N
 9 E   M O S   M E N D E
10 M E D U S E   S E   N I
11   N   T E R A   T C   S
12 D I V E R S I F O R M E
```

Jeu 112

```
   1 2 3 4 5 6 7 8 9 10 11 12
 1 A U T O R I T E   D A C
 2 F L A   E R A T O   N O
 3 F E R I R   B O   N I N
 4 A M O S   C A N D I   C
 5 D A   S T U C   I O L E
 6 I   B A R I   O U   E N
 7 R T E   O R B E   R A T
 8 C R E M A T I O N   R
 9 L   C A P S U L E   L E
10 A G A   E S   S U S E
11 T R I Q U E T   V I G O
12 S E L   R R   N E R E E
```

Jeu 113

```
   1 2 3 4 5 6 7 8 9 10 11 12
 1 B R O C H A G E   A S E
 2 R A N C E   A S P R E
 3 U R E   M A L   A L E P
 4 L E G E   B   D R Y   E
 5 O   A L Y S S E S   P I
 6 T A   A B O U L I E S
 7   S T M   L E E   N   T
 8 B A H   A U R A Y   P U
 9 L   O R G E   T   L A Y
10 A I R E R   F U T I L E
11 P R O T E E   R E   E R
12 S E N S E U R   E P E E
```

Jeu 114

```
   1 2 3 4 5 6 7 8 9 10 11 12
 1 F E R M A G E   G A M A
 2 E P I A G E   G A I A C
 3 R A V I N E R   T R   N
 4 L I A   O L I V E   B E
 5 A R G A S   S A U R A
 6 N   E R I C E   X   C F
 7 D B   P E L E R   J A M
 8 O E   S A   E S A U   R
 9 B I L E   V E N U S   R
10 L I N N E   A R M E E
11 P L A N T A I N   I N N
12 M E S S   U R   E N E E
```

Jeu 115

```
   1 2 3 4 5 6 7 8 9 10 11 12
 1 K A M I C H I   M B A
 2 A R A C E E   C A I R N
 3 P A T A N   G A N S E
 4 O L E   T E R R A S S E
 5 K   L O U V E   G E   L
 6 F O U R R E A U   R A
 7 P A T R I A R C A L   N
 8 E D   S O N   H   I A D
 9 R A P   N   C A N N A
10 R I E L   B A B I O L E
11 E S C O T   O   E N T E
12   E S T E R   P R   O E
```

Jeu 116

```
   1 2 3 4 5 6 7 8 9 10 11 12
 1 T O U F F E U R   C A P
 2 Y B   I R U N   P I C A
 3 P I A N A   S U R   T U
 4 H E R N I E   T I N E
 5 U R I   S U S   N   S S
 6 S   C A   L E C C E   E
 7   P A L M E   S I M O N
 8 C R   C E R S   P E I
 9 L I T A S   A L E S E R
10 U V U L A I R E   E   O
11 S A F I   A R A K   P S
12 E S   N O N E   A B E E
```

Jeu 117

```
   1 2 3 4 5 6 7 8 9 10 11 12
 1 T O R P I L L E   R A B
 2 O R U R O   I F S   D A
 3 N I F E   A G R A F E R
 4 N E F L E   A I S   N B
 5 E L I E   A M T   I   O
 6 L   A   I R E   A M O N
 7 L I N Z   O N C I A L
 8 E S   E A S T O N   A G
 9 S   A B R A   S E L V E
10 C A R R E   L Y S E   L
11 L   T E N I A   S A G A
12 E G A R E   I R E N E
```

Solutions

Jeu 118

```
   1  2  3  4  5  6  7  8  9 10 11 12
1  L  I  N  N  E  ▪  ▪  S  A  V  O  I  E
2  A  B  A  ▪  C  A  U  S  A  L  ▪  ▪  N
3  Z  O  O  L  A  T  R  E  ▪  T  E  T
4  Z  ▪  S  A  L  E  ▪  S  A  ▪  R  R
5  I  I  ▪  B  E  L  T  ▪  S  A  G  E
6  ▪  M  G  R  ▪  E  A  N  E  S  ▪  G
7  S  A  L  E  M  ▪  B  A  ▪  A  I  E
8  C  O  U  ▪  E  S  A  ▪  E  ▪  O  N
9  I  ▪  C  A  D  U  C  I  T  E  ▪  T
10 E  M  I  L  I  E  ▪  S  E  N  S
11 ▪  I  N  ▪  U  R  U  B  U  ▪  A  Y
12 D  R  E  E  S  ▪  S  A  F  R  E
```

Jeu 119

```
   1  2  3  4  5  6  7  8  9 10 11 12
1  V  E  N  E  T  ▪  S  H  E  K  E  L
2  A  L  I  M  E  N  T  E  R  ▪  N  I
3  N  I  C  E  ▪  C  O  R  S  A  G  E
4  N  A  H  U  M  ▪  L  A  ▪  L  O  D
5  E  S  O  ▪  A  S  ▪  T  S  A  R
6  L  ▪  L  A  C  A  N  ▪  R  I  G  I
7  L  O  S  ▪  A  D  A  M  ▪  N  E  O
8  E  S  ▪  P  O  U  R  ▪  N  ▪  R  N
9  ▪  S  E  L  ▪  C  A  R  E  T  ▪  I
10 S  A  ▪  I  S  E  ▪  A  P  H  T  E
11 P  ▪  P  E  R  E  C  ▪  A  ▪  E
12 A  S  E  ▪  I  N  S  U  L  T  E  R
```

Jeu 120

```
   1  2  3  4  5  6  7  8  9 10 11 12
1  P  A  V  I  L  L  O  N  ▪  C  A  S
2  A  R  I  A  ▪  O  S  E  I  L  L  E
3  P  E  N  S  E  R  ▪  O  R  E  L
4  I  N  D  I  G  E  S  T  E  ▪  O  L
5  L  E  A  ▪  Y  T  ▪  T  ▪  I  C  A
6  L  ▪  S  E  P  T  A  I  N  ▪  A
7  E  D  ▪  R  T  E  ▪  E  E  S  T  I
8  E  L  N  E  ▪  M  ▪  F  O  I  N
9  S  C  I  E  ▪  Z  O  E  ▪  C  O  N
10 B  O  V  E  S  ▪  E  D  O  ▪  N
11 ▪  T  E  ▪  E  R  R  E  ▪  P  S  T
12 F  E  T  I  C  H  E  ▪  S  R  ▪  A
```

Jeu 121

```
   1  2  3  4  5  6  7  8  9 10 11 12
1  B  E  R  N  I  ▪  P  E  N  A  L
2  A  G  E  ▪  L  A  I  S  ▪  ▪  L  O  B
3  T  E  C  T  I  T  E  ▪  R  O  S  A
4  O  R  E  L  ▪  R  ▪  P  ▪  E  I
5  U  ▪  S  ▪  T  A  C  H  I  S  T  E
6  D  I  ▪  S  A  B  A  ▪  N  ▪  E
7  E  L  F  E  ▪  I  N  A  N  I  T  E
8  A  L  C  A  L  O  S  E  S  ▪  X
9  R  ▪  E  ▪  R  A  ▪  S  E  L  O
10 A  C  T  I  N  I  T  E  S  ▪  A  N
11 A  R  A  N  ▪  R  E  N  O  I  R
12 B  U  N  ▪  S  E  E  ▪  C  O  E  N
```

Jeu 122

```
   1  2  3  4  5  6  7  8  9 10 11 12
1  C  A  N  Y  O  N  ▪  A  B  A  C  A
2  H  A  U  B  A  N  E  R  ▪  E  T  S
3  O  R  E  ▪  S  ▪  L  A  N  G  ▪  E
4  P  O  R  C  ▪  P  I  C  A  ▪  R  R
5  S  I  N  ▪  R  H  E  E  ▪  R  A  I
6  N  ▪  D  I  S  ▪  S  A  L  A  M
7  ▪  G  E  N  E  T  T  E  ▪  C  ▪  D
8  B  T  A  R  O  T  ▪  A  ▪  O  H  M
9  R  I  L  E  Y  ▪  O  U  I  E  S
10 C  A  D  I  X  ▪  D  R  A  M  ▪  C
11 A  G  E  N  ▪  S  A  E  ▪  I  R  A
12 P  E  R  E  T  ▪  C  E  M  E  N  T
```

Jeu 123

```
   1  2  3  4  5  6  7  8  9 10 11 12
1  T  R  A  Q  U  E  R  ▪  S  C  A  T
2  O  U  R  ▪  S  U  E  D  E  ▪  S
3  M  E  R  O  E  ▪  C  O  N  D  O  R
4  A  R  A  N  ▪  B  E  C  ▪  A  ▪  O
5  H  ▪  S  E  B  A  S  T  E  ▪  P  U
6  A  A  ▪  G  E  L  ▪  E  L  I  R  E
7  W  ▪  B  A  L  L  E  ▪  B  O  E  N
8  K  I  R  ▪  L  E  V  E  E  ▪  E
9  ▪  S  A  B  ▪  P  ▪  R  A  E
10 P  A  N  E  L  ▪  P  E  I  ▪  C  B
11 L  A  D  R  E  R  I  E  ▪  S  E  L
12 A  C  E  T  O  N  E  ▪  H  E  R  E
```

Jeu 124

```
   1  2  3  4  5  6  7  8  9 10 11 12
1  R  H  E  T  E  U  R  ▪  T  R  I  O
2  O  U  A  ▪  R  ▪  O  R  G  U  E
3  U  B  U  E  S  Q  U  E  ▪  M  ▪  C
4  I  L  ▪  F  E  U  L  E  M  E  N  T
5  R  O  U  F  ▪  M  E  L  E  N  A
6  T  R  E  S  ▪  T  ▪  R  ▪  P  P
7  K  ▪  F  L  O  T  T  E  U  R  ▪  I
8  A  B  A  ▪  U  R  E  E  ▪  A  M  E
9  G  O  ▪  U  R  I  ▪  E  G  E  E
10 A  R  P  ▪  C  A  T  ▪  E  ▪  S  M
11 M  A  ▪  V  I  L  A  R  ▪  C  I  E
12 E  S  O  ▪  L  ▪  B  A  F  R  E  R
```

Jeu 125

```
   1  2  3  4  5  6  7  8  9 10 11 12
1  P  I  L  O  N  ▪  M  A  G  E  ▪  O
2  L  A  V  ▪  I  D  E  ▪  A  V  O  N
3  E  M  ▪  A  B  A  C  U  L  E  S
4  U  B  A  C  ▪  C  O  R  O  N  E  R
5  V  E  S  C  E  ▪  M  ▪  P  T  ▪  A
6  O  ▪  P  O  U  R  P  R  E  ▪  C  S
7  I  T  E  M  ▪  I  T  ▪  R  O  U  E
8  R  E  ▪  P  E  S  E  E  ▪  I  L  E
9  ▪  F  A  L  O  T  ▪  P  U  T  T
10 E  L  G  I  N  ▪  M  A  R  A  U  D
11 S  O  R  E  ▪  S  U  I  F  ▪  R  A
12 N  A  S  S  E  ▪  S  A  L  E  M
```

Jeu 126

```
   1  2  3  4  5  6  7  8  9 10 11 12
1  T  A  G  I  N  E  ▪  V  R  A  C  A
2  R  A  I  D  ▪  N  N  E  ▪  H  ▪  M
3  E  R  E  I  N  T  E  ▪  S  O  I  E
4  M  A  N  O  E  U  V  R  E  ▪  T  R
5  O  U  ▪  M  U  R  A  T  ▪  S  A  E
6  L  ▪  D  E  M  E  ▪  E  P  A  R
7  O  M  O  ▪  E  ▪  V  ▪  A  U  D  E
8  ▪  O  U  F  ▪  P  A  T  I  L  ▪  P
9  P  E  L  L  E  T  I  E  R  ▪  H  A
10 I  L  E  U  S  ▪  R  N  ▪  S  U  I
11 L  U  T  ▪  R  O  C  H  I  E  R
12 N  E  R  E  E  ▪  N  E  F  L  E
```

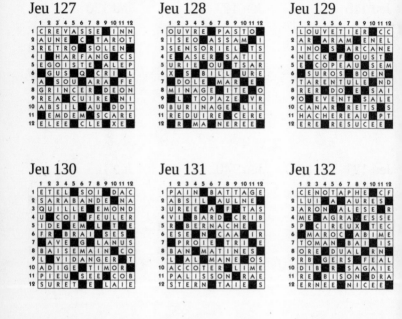

Jeu 127

1	2	3	4	5	6	7	8	9	10	11	12
C	R	E	V	A	S	S	E	■	I	N	N
A	U	N	E	■	C	■	T	A	R	O	T
R	E	T	R	O	■	S	O	L	E	N	■
I	■	H	A	R	F	A	N	G	■	C	S
E	G	O	I	S	T	E	■	A	L	E	P
■	G	U	S	■	Q	■	C	R	I	■	L
A	■	S	O	U	■	A	R	A	■	F	E
G	R	I	N	C	E	R	■	D	E	O	N
R	E	A	■	C	U	I	R	E	■	N	I
A	B	S	I	L	■	A	U	■	D	D	T
■	E	M	D	E	M	■	S	C	A	R	E
E	L	E	E	■	C	L	E	■	X	E	■

Jeu 128

1	2	3	4	5	6	7	8	9	10	11	12
O	U	V	R	E	■	P	A	S	T	O	■
I	S	E	O	■	A	S	S	A	M	■	I
S	E	N	S	O	R	I	E	L	■	T	S
E	■	A	S	E	R	■	S	A	T	I	E
U	R	I	E	■	O	U	■	T	S	A	R
X	■	S	■	B	I	L	L	■	U	R	E
■	D	O	L	E	■	M	A	R	■	E	■
M	I	N	A	G	E	■	I	T	E	■	O
■	L	■	T	O	P	A	Z	E	■	V	R
B	U	R	I	N	A	G	E	■	L	I	E
R	E	D	U	I	R	E	■	C	E	R	E
■	R	■	M	A	■	N	E	R	E	E	■

Jeu 129

1	2	3	4	5	6	7	8	9	10	11	12
L	O	U	V	E	T	I	E	R	■	C	C
A	R	■	A	R	A	M	■	E	N	E	L
I	N	O	■	S	■	A	R	C	A	N	E
N	E	C	K	■	F	■	O	U	S	T	■
E	■	C	O	P	E	A	U	■	S	E	M
S	U	R	O	S	■	B	O	E	N	■	■
T	A	R	E	N	T	U	L	E	■	N	D
R	E	R	■	D	O	■	E	■	S	A	I
O	■	E	V	E	N	T	■	S	A	L	E
C	A	N	A	R	■	R	E	T	S	■	S
H	A	C	H	E	R	E	A	U	■	P	T
E	R	E	■	R	E	S	U	C	E	E	■

Jeu 130

1	2	3	4	5	6	7	8	9	10	11	12
E	T	E	L	■	S	O	I	■	D	A	C
S	A	R	A	B	A	N	D	E	■	N	A
Q	U	I	L	L	E	■	E	M	O	N	D
U	■	C	O	I	■	F	E	U	L	E	R
I	D	E	■	E	M	■	L	■	T	■	E
F	R	■	B	R	A	I	■	S	E	S	■
A	V	E	■	G	■	L	A	N	U	S	■
B	A	I	S	E	M	A	I	N	■	C	O
L	■	V	I	D	A	N	G	E	R	■	T
A	D	I	G	E	■	T	I	M	O	R	■
P	I	E	U	■	S	E	E	■	C	O	B
S	U	R	E	T	■	E	■	L	A	I	E

Jeu 131

1	2	3	4	5	6	7	8	9	10	11	12
P	A	I	N	■	B	A	T	T	A	G	E
A	B	S	I	L	■	A	U	L	N	E	■
U	R	E	E	■	A	■	F	■	T	A	S
V	I	■	B	A	R	D	■	C	R	I	B
R	■	B	E	R	N	A	C	H	E	■	L
E	S	E	■	N	■	C	A	A	■	I	R
■	P	R	O	I	E	■	T	R	I	■	E
B	A	N	■	M	A	T	I	N	E	S	■
L	■	A	L	■	M	A	N	E	■	O	S
A	C	C	O	T	E	R	■	L	I	M	E
P	A	L	I	S	S	O	N	■	R	A	E
S	T	E	R	N	■	T	A	I	E	■	S

Jeu 132

1	2	3	4	5	6	7	8	9	10	11	12
C	E	N	O	T	A	P	H	E	■	C	F
L	U	I	■	A	■	A	U	R	E	S	■
A	R	O	N	■	A	L	E	S	E	■	R
M	E	■	A	G	R	A	■	E	S	S	E
P	■	C	I	R	E	U	X	■	T	E	C
M	A	R	O	C	■	A	B	I	M	E	■
T	O	M	A	N	■	B	A	I	■	I	S
O	R	E	■	D	U	A	L	■	R	N	■
R	B	■	G	E	R	S	■	F	E	A	L
D	I	B	■	R	■	S	A	G	A	I	E
R	E	■	B	I	S	O	N	■	D	R	A
E	R	N	E	E	■	N	I	C	E	E	■

Jeu 133

1	2	3	4	5	6	7	8	9	10	11	12
F	R	E	O	N	■	P	O	C	H	E	R
U	O	■	S	A	S	■	R	O	S	S	E
C	U	I	S	I	N	I	E	R	■	T	M
U	L	S	A	N	■	S	E	■	C	E	■
S	A	L	■	E	E	E	■	B	A	■	C
D	E	I	■	M	O	R	B	I	D	E	■
L	E	■	C	A	B	■	B	E	■	R	■
I	■	C	A	R	R	A	■	P	U	N	A
M	Y	E	■	M	A	C	R	E	■	I	T
B	■	P	R	E	S	T	E	S	S	E	■
E	R	E	■	E	S	O	P	E	■	U	T
S	U	E	R	■	E	N	S	E	L	L	E

Jeu 134

1	2	3	4	5	6	7	8	9	10	11	12
V	A	C	U	U	M	■	T	A	R	S	E
E	R	A	T	O	■	C	A	R	■	C	R
R	I	P	E	■	A	B	■	T	I	A	N
M	O	I	R	E	R	■	C	A	■	R	E
I	N	T	U	I	T	I	F	■	P	A	■
L	■	A	S	D	I	C	■	C	O	B	B
L	I	N	■	E	C	T	O	P	I	E	■
O	P	■	A	R	H	U	S	■	G	E	S
N	E	E	L	■	A	S	S	E	N	■	E
C	■	B	A	U	■	A	S	A	M	■	■
R	A	S	E	T	T	E	■	A	R	M	E
F	■	N	E	T	■	S	O	U	D	E	R

Jeu 135

1	2	3	4	5	6	7	8	9	10	11	12
R	A	M	E	Q	U	I	N	■	G	■	O
I	N	O	■	S	R	■	A	L	D	A	N
B	O	R	A	■	F	A	R	O	■	B	■
A	R	A	■	P	A	R	A	C	L	E	T
U	■	T	A	S	■	M	■	H	■	R	■
D	Y	■	C	I	M	E	T	E	R	R	E
A	R	C	■	O	E	A	■	A	A	R	■
D	O	■	O	I	L	■	C	E	S	T	E
Z	■	S	U	R	A	T	■	L	E	I	■
A	R	I	D	E	■	E	A	■	E	O	N
C	A	D	E	N	E	T	T	E	■	N	A
A	■	A	R	E	S	■	H	■	A	S	O

Solutions

Jeu 136

	1	2	3	4	5	6	7	8	9	10	11	12
1	V	O	L	A	N	T		C	A	R	E	T
2	E	V	E	R	E		S		R	O	S	A
3	N	E	P	E		T	A	B	E	S		B
4	I		A	L	B	U	M	I	N	E	S	
5	M	A	L		A	R	O	L	E		A	H
6	E	R		N	I	C	E	E		G	U	E
7	U	N	I		G	O	N		T	O	R	R
8	X		L	I	N		S	A		R	A	T
9		P	E	R	O	T		T	S	F		Z
10	C	A	T		I	S	C	H	I	O	N	
11	C	E		P	R	U	N	E	A	U		A
12	R	A	I	R	E		R	E	M		C	I

Jeu 137

	1	2	3	4	5	6	7	8	9	10	11	12
1	M	O	S	Q	U	E	E		A	B	C	
2	A	R	I	U	S		D	U	R	I	O	N
3	R	E	N	E	T	T	E		O		U	
4	A	L	U		E	R		A	L	E	P	H
5	B		S	P	R	I	N	G	E	R		E
6	O	P		L		C		R		S	I	C
7	U	L	S	A	N		M	A	C		N	A
8	T	A	L	C		S	A		R	N		T
9		G	O	E	L	E	T	T	E		H	O
10	L	I	O	N		I	S	A	I	E		M
11	S	E	P	T	U	M		P	L	O	M	B
12	D	R		A	T	E	L	E		N	O	E

Jeu 138

	1	2	3	4	5	6	7	8	9	10	11	12
1	S	I	P	H	O	N		D	A	M	A	S
2	A	L	I		P	A	R		D	O	U	E
3	K	A	C	H	A		A	T	O	N		L
4	A	N	G	E	L	U	S		S	A	S	
5	I		R	U	E	R		D	N		O	
6	S	I	R		F	A	R	A	D	A	Y	
7	T	A	S		F	A	R	O		R		O
8	O	E		M	U		I	N	D	E	X	
9	Y		M	A	S	C	A	T	E		I	B
10	A	B	A	C	A	S		E	L	G	A	R
11	M	O	R	A	I	N	E		L	E	N	A
12	A	R	C	O	N		S	E	E		G	I

Jeu 139

	1	2	3	4	5	6	7	8	9	10	11	12
1	R	A	V	A	U	D	A	G	E		R	D
2	E	R	E		B	A	R	A		S	A	I
3	V	A	R	D	A		B	R	I	S	K	A
4	I	N	D	I	C	T	I	O	N		I	B
5	N		E	O		A	L		T	A		O
6	F	U	R	E	T		A	I		T	L	
7	F	A	R		P	A	L		M	B		O
8	U	N		P	U	R	I	T	A	I	N	
9	S		S	O	I		V	I	T	T	E	L
10	T	R	U	I	S	M	E		I		F	E
11	E	P	I	R	E		T	R	O	U		E
12	T		F	E	R	A		A	N	T	E	

Jeu 140

	1	2	3	4	5	6	7	8	9	10	11	12
1	E	P	O	U	V	A	N	T	A	I	L	
2	M	A	R		A	I	E		A		I	R
3	O	R	B	E		S	E	T		C	L	
4	N	A	I	R	A		L	O	B	U	L	E
5	D		S	I	L	O		M	A	R	O	C
6	C	O	N	C	O	M	B	R	E		H	
7	D	O	N		O	R	N	E	R		P	E
8	I	L		R	O	T		T	R			
9	N	O	D	A	L		A	E	D	E		P
10	A	I	R	E		A	R	I	A		T	A
11	N	I	O	R	T		R	U	H	R		N
12	T	S	N		S	E	E		S	A	L	E

Jeu 141

	1	2	3	4	5	6	7	8	9	10	11	12
1	S	Y	M	P	A	T	H	I	E		I	B
2	U	S	A		B		A	R	G	O	N	
3	R	E	C	U	E	I	L		E		V	
4	V	R	I	L	L	E		A	R	O	B	E
5	O		S	S		N	O	M		F	A	N
6	L	I		A	B	A	S	I	E		T	C
7		C	A	N	O		T	B		S	T	E
8	S	A	Y		R	E		I	G	N	E	
9	E		L	Y	N	C	H	E	R		M	C
10	R	E	M		A	L	A	N	I	N	E	
11	A		E	L	G	A	R		S	A	N	D
12	C	O	R	V	E	T	T	E		T	T	

Jeu 142

	1	2	3	4	5	6	7	8	9	10	11	12
1	P	R	O	C	E	D	E		M		S	N
2	A	U	B	I	N		C	L	A	M	P	
3	V	E	L	D		C	H	A	N	C	I	R
4	E	R	A	R	D		E		A		R	H
5	R		T	E	R	A		C		L	I	A
6	C	I		A	L	D	O	L		T	R	
7	K	H	O	L		I		R		T	U	B
8	V	I	N	A	Y		E	S	C	H	E	
9	A	M		C	S	E	P	E	L		L	R
10	S	E	T	H		N	I	L	A	N		A
11	R	E	E	D	I	T	E	R		P	M	
12	H	E	T	R	E		E	T	A	L	E	

Jeu 143

	1	2	3	4	5	6	7	8	9	10	11	12
1	P	I	N	N	E		H	A	L	A	G	E
2	A	L	I	S	E	S		S	E	N	A	U
3	T	A	G		E	A	N	E	S		N	B
4	E	N	E	L		R	O		T	A	G	E
5	R		L	E	C	H	E	R		G	R	E
6		A	L	E	S		S		G	U	E	
7	O	D	E	R		L	E	S		E	N	A
8	S	O		S	E	E		A	I	R	E	R
9	S	U	I		B	A	L	E		R	M	
10	A	B	S	O	L	U	E		P	I	P	E
11		E	L	I	E		R	O	U	E	R	
12	O	R	E	E		T	E	E		S	E	M

Jeu 144

	1	2	3	4	5	6	7	8	9	10	11	12
1	G	L	Y	C	O	L		K	A	C	H	A
2	E	A	U		N	E	R	I		L	O	D
3	N	I	C	H	E		E	P	T	E		V
4	D	E	C	A	T	I	R		A		I	E
5	A		A	R	T	A		M	I	T	O	N
6	R	H		P	I	L	L	A	G	E		U
7	M	A	G	E		T	A	N	A		M	E
8	E	L	O		C	A		T		L	A	S
9		L	U	B	A		A	L	F	A	S	
10	P	I	S		R	A	R	E		B	O	A
11	L	E	S	E	R		E		S	E		I
12	C	R	E	V	A	I	S	O	N		Z	R

Solutions

Jeu 145

	1	2	3	4	5	6	7	8	9	10	11	12
1	M	A	R	G	E	L	L	E	■	D	A	C
2	A	G	U	E	T	■	A	R	C	■	S	R
3	U	R	E	■	C	A	R	D	A	G	E	■
4	V	A	R	S	■	D	E	R	B	Y	■	P
5	E	N	■	O	S	M	■	E	O	■	E	H
6	■	D	A	L	T	O	N	■	T	A	Z	A
7	F	I	L	E	■	N	■	N	E	R	E	E
8	O	■	L	A	S	E	R	■	R	O	■	T
9	R	T	E	■	A	S	A	D	■	N	A	O
10	C	O	G	E	S	T	I	O	N	■	T	N
11	E	T	E	L	■	E	L	U	D	E	R	■
12	R	O	S	I	E	R	■	E	■	T	E	E

Jeu 146

	1	2	3	4	5	6	7	8	9	10	11	12
1	S	A	P	A	J	O	U	■	L	U	M	P
2	A	R	A	L	■	E	L	B	O	T	■	E
3	G	A	N	G	A	■	S	A	I	■	P	C
4	I	N	C	A	R	N	A	T	■	B	A	H
5	T	■	A	R	I	O	N	■	D	A	L	E
6	T	A	■	V	A	U	■	H	O	T	■	T
7	A	D	N	E	■	B	R	O	C	A	R	T
8	L	I	A	■	G	A	■	N	T	■	A	E
9	P	I	E	U	■	A	N	O	N	E	■	■
10	C	O	N	V	E	R	T	I	R	■	L	I
11	I	S	E	O	■	A	R	R	A	S	■	R
12	D	E	■	E	G	E	E	■	L	E	G	E

Jeu 147

	1	2	3	4	5	6	7	8	9	10	11	12
1	B	A	R	O	N	N	E	T	■	L	■	G
2	O	R	A	N	■	A	C	■	S	A	L	E
3	V	A	S	E	R	■	O	R	B	■	A	S
4	E	L	■	G	A	E	T	E	■	P	I	S
5	S	■	B	A	N	G	■	P	H	O	N	E
6	■	S	R	■	C	O	C	A	G	N	E	■
7	R	O	U	G	E	■	H	I	■	T	■	C
8	A	U	L	A	■	G	E	R	B	I	E	R
9	D	E	L	A	■	V	E	R	■	M	E	■
10	S	A	R	I	G	U	E	■	A	R	E	S
11	A	R	I	O	N	■	L	O	I	■	S	T
12	E	D	E	N	I	Q	U	E	■	G	E	■

Jeu 148

	1	2	3	4	5	6	7	8	9	10	11	12
1	M	A	Z	U	R	K	A	■	S	■	D	D
2	O	R	A	N	■	A	D	J	U	R	E	R
3	U	N	I	S	S	O	N	■	C	■	C	O
4	T	O	R	■	A	L	E	T	■	C	O	L
5	A	■	E	O	L	I	E	■	A	T	R	E
6	R	F	■	M	E	A	■	S	I	■	U	S
7	D	■	A	B	■	N	B	C	■	O	M	S
8	E	T	I	R	A	G	E	■	A	U	■	E
9	■	A	R	E	L	■	R	H	A	R	B	■
10	B	R	E	T	A	G	N	E	■	S	O	N
11	B	E	S	T	I	A	I	R	E	■	M	I
12	■	R	■	E	N	I	■	E	S	S	E	N

Jeu 149

	1	2	3	4	5	6	7	8	9	10	11	12
1	C	O	R	T	E	X	■	S	A	M	O	A
2	A	D	E	N	■	A	G	A	G	U	K	■
3	N	E	M	■	P	A	U	L	A	■	A	H
4	A	R	■	P	A	L	I	S	■	J	■	G
5	R	■	H	I	E	■	L	E	R	O	T	■
6	■	T	A	R	A	U	D	■	O	U	I	E
7	C	A	S	E	■	B	E	G	U	I	N	■
8	L	I	T	E	A	U	■	R	E	S	T	E
9	I	L	A	■	A	■	L	I	■	S	O	C
10	P	L	I	E	■	F	A	N	G	E	■	O
11	■	E	R	D	R	E	■	G	O	U	E	T
12	U	R	E	E	■	S	E	E	■	R	U	E

Jeu 150

	1	2	3	4	5	6	7	8	9	10	11	12
1	F	U	N	I	C	U	L	E	■	C	O	L
2	U	N	I	■	A	■	I	N	C	A	■	E
3	Y	A	T	A	G	A	N	■	R	I	S	I
4	A	U	R	E	O	L	E	R	■	E	O	N
5	N	■	A	■	U	T	R	I	C	U	L	E
6	T	M	■	L	■	I	■	O	O	■	C	T
7	C	U	I	S	S	O	N	■	E	■	T	■
8	O	■	C	E	P	E	E	■	M	A	N	E
9	S	I	C	■	A	S	T	I	■	R	A	■
10	T	O	L	E	T	■	A	M	B	L	E	S
11	D	E	L	H	I	■	B	A	■	V	I	■
12	G	E	■	Y	■	B	O	U	T	O	I	R

Amusez-vous
et testez vos connaissances, seul ou entre amis !

Relevez le défi des 150 questions !

Essayez également les autres titres de la même collection!

150 questions

**DE CULTURE GÉNÉRALE • POUR LES BABY-BOOMERS
SUR LA GASTRONOMIE • SUR LE HOCKEY
SUR LES CHATS • SUR LES GRANDES INVENTIONS
SUR L'HISTOIRE DU QUÉBEC • SUR L'UNIVERS DISNEY**

www.editionsgoelette.com
www.facebook.com/EditionsGoelette

Les Éditions
Goélette

MARQUIS

Québec, Canada